Bianca™

Princesa del pasado
Caitlin Crews

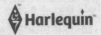

Harlequin™

Editado por HARLEQUIN IBÉRICA, S.A.
Núñez de Balboa, 56
28001 Madrid

© 2011 Caitlin Crews. Todos los derechos reservados.
PRINCESA DEL PASADO, N.º 2115 - 9.11.11
Título original: Princess from the Past
Publicada originalmente por Mills & Boon®, Ltd., Londres.

I.S.B.N.: 978-84-9000-860-7
Depósito legal: B-32056-2011
Editor responsable: Luis Pugni
Preimpresión y fotomecánica: M.T. Color & Diseño, S.L.
C/ Colquide, 6 portal 2 - 3º H. 28230 Las Rozas (Madrid)
Impresión en Black print CPI (Barcelona)
Fecha impresion para Argentina: 7.5.12
Distribuidor exclusivo para España: LOGISTA
Distribuidor para México: CODIPLYRSA
Distribuidores para Argentina: interior, BERTRAN, S.A.C. Vélez
Sársfield, 1950. Cap. Fed./ Buenos Aires y Gran Buenos Aires,
VACCARO SÁNCHEZ y Cía, S.A.
Distribuidor para Chile: DISTRIBUIDORA ALFA, S.A.

Capítulo 1

BETHANY Vassal no tenía que darse la vuelta. Sabía perfectamente quién acababa de entrar en la exclusiva galería de arte del lujoso barrio de Yorkville, en Toronto. Aunque no hubiese oído los comentarios de los invitados o sentido el cambio de energía en la sala, como un terremoto, lo habría sabido porque su cuerpo había reaccionado de inmediato: el vello de su nuca erizándose y su corazón latiendo como si quisiera salirse de su pecho.

Bethany dejó de fingir interés por los brillantes colores del cuadro que tenía delante y cerró los ojos para controlar los recuerdos. Y el dolor.

Estaba allí. Después de todo ese tiempo, después de tantos años de aislamiento, estaba en la misma habitación que ella. Y se dijo a sí misma que estaba preparada.

Tenía que estarlo.

Haciendo un esfuerzo, se dio la vuelta. Se había colocado en la esquina más alejada de la puerta con objeto de prepararse para su llegada. Pero la verdad, se vio obligada a admitir, era que no había manera de prepararse para ver al príncipe Leopoldo di Marco.

Su marido.

Que pronto sería su ex marido, se recordó a sí misma. Si se lo repetía suficientes veces, tenía que hacerse realidad, ¿no?

Le había roto el corazón tener que dejarlo tres años antes, pero ahora era diferente. Ella era diferente.

Estaba tan triste cuando lo conoció, desamparada tras la muerte de su padre y atónita al pensar que a los veintitrés años podía tener la vida que quisiera en lugar de cuidar día y noche de un hombre enfermo. Pero no sabía lo que quería. El mundo que conocía era tan pequeño. Estaba desolada y entonces apareció Leo, como un rayo de sol después de tantos años de lluvia.

Había pensado que era perfecto, un príncipe de cuento de hadas. Y había creído que con él, ella era una princesa...

Bethany hizo una mueca.

Pero había aprendido la lección enseguida. Leo había destrozado ese sueño apartándose de ella en cuanto llegaron a Italia. Dejándola fuera de su vida, sola, abrumada en un país que no conocía.

Y entonces había decidido añadir un hijo a toda esa desesperación. Había sido imposible, la gota que colmó el vaso. Bethany apretó los puños, como si así pudiera aplastar los amargos recuerdos, y se obligó a sí misma a respirar. La rabia no la ayudaría, tenía que concentrarse. Tenía un objetivo específico esa noche: quería su libertad y no pensaba dejar que el pasado la anulase.

Entonces levantó la mirada y lo vio. Y el mundo pareció contraerse y expandirse a su alrededor. El tiempo pareció detenerse, o tal vez era simplemente su incapacidad de llevar oxígeno a sus pulmones.

Paseaba por la galería de arte seguido de dos de sus miembros de seguridad. Era, como había sido siempre, un fabuloso ejemplar de hombre italiano, moreno y de ojos brillantes, con un elegante traje de chaqueta oscuro hecho a medida que destacaba sus anchos hombros, su poderosa personalidad.

Bethany no quería fijarse en eso, era demasiado peligroso. Pero casi había olvidado que era tan... apabullante. Su recuerdo lo había hecho más pequeño, menos imponente. Había querido borrar su fuerte presencia, que parecía irradiar poder y masculinidad, haciendo que todos los demás pareciesen insignificantes.

Bethany sacudió la cabeza, intentando apartar de sí esa extraña melancolía porque no podía ayudarla, al contrario.

Su cuerpo era alto, fibroso, todo músculo y gracia masculina. Con los ojos oscuros y los pómulos pronunciados, se movía como si fuera un rey o un dios. Su boca tenía una sensualidad que ella conocía bien y que podía usar como un arma devastadora. Su espeso pelo castaño, cortado a la perfección, hacía que pareciese lo que era, un poderoso magnate, un príncipe.

Todo en él hablaba de dinero, de poder y de ese oscuro y único magnetismo sexual. Era tanto parte de su piel como su complexión cetrina, sus músculos y su aroma, que debía recordar porque no estaba lo bastante cerca como para olerlo. Y no volvería a estarlo nunca.

Porque no era un príncipe de cuento de hadas, como había imaginado una vez tan inocentemente.

Bethany tuvo que contener la risa al pensar eso. No había canciones de amor, ni finales felices con Leo di Marco, príncipe Di Felici. Ella lo había descubierto de la peor manera posible. El suyo era un título muy antiguo y reverenciado, con incontables responsabilidades y deberes. Para Leo, su título era lo más importante, tal vez lo único importante.

Lo vio mirar alrededor con gesto de impaciencia. Parecía irritado. Y luego, de manera inevitable, sus ojos se clavaron en ella y Bethany tuvo que hacer un esfuerzo para llevar aire a sus pulmones. Pero ella había querido ese encuentro, se recordó a sí misma. Tenía que hablar con él para rehacer su vida de una vez por todas.

Tuvo que hacer un esfuerzo para erguirse mientras esperaba. Se cruzó de brazos e intentó fingir que su presencia no la afectaba, aunque no era cierto. Sentía la inevitable e injusta reacción que siempre había malogrado sus intentos de enfrentarse con él.

Leo le hizo un gesto a sus guardaespaldas para que se apartasen, su mirada clavada en ella, mientras se acercaba a grandes zancadas. Tenía un aspecto imponente, como siempre, como si él solo pudiera bloquear el resto del mundo. Y lo peor de todo era que podía hacerlo.

Bethany sentía el abrumador deseo de darse la vuelta, de salir corriendo, pero sabía que la seguiría. Además, estaba allí para hablar con él. Había elegido aquel sitio a propósito, una galería de arte llena de gente, como protección. Tanto de la inevitable furia de Leo como de su propia respuesta ante aquel hombre.

No sería como la última vez, se prometió a sí misma. Habían pasado tres años desde esa noche y recordar cómo la pasión había explotado de manera incontrolable, devastadora, seguía avergonzándola.

Pero Bethany apartó a un lado esos recuerdos e irguió los hombros.

Leo estaba delante de ella, sus ojos clavados en su cara. Y no podía respirar.

Leo.

Esa potente masculinidad tan única, tan suya despertaba partes de ella que creía muertas tiempo atrás. De nuevo, sentía el familiar anhelo que la urgía a acercarse, a enterrarse en su calor, a perderse en él como había hecho tantas veces.

Pero ahora era diferente, tenía que serlo para que pudiera sobrevivir. Ya no era la chica ingenua a la que Leo había desdeñado durante sus dieciocho meses de matrimonio, la chica que no ponía límites y no era capaz de enfrentarse con él.

Nunca volvería a ser esa chica. Se había esforzado mucho durante esos tres años para dejarla atrás, para convertirse en la mujer que debería haber sido desde el principio.

Leo la miraba, sus ojos de color café tan amargos y oscuros como recordaba. Podría haber parecido indolente, casi aburrido si no fuera por la tensión en su mandíbula y el brillo airado de sus ojos.

–Hola, Bethany –su voz sonaba más rica, más ronca de lo que recordaba.

Y su nombre en esa boca cruel estaba cargado de

recuerdos. Recuerdos que ella quería olvidar y, sin embargo, la afectaban como la habían afectado siempre.

–¿A qué éstas jugando esta noche? –le preguntó luego, su expresión indescifrable–. Me sorprende que hayas decidido verme después de tanto tiempo.

No iba a dejar que la acobardase. Bethany sabía que era ahora o nunca.

–Quiero el divorcio –le dijo, sin más preámbulos.

Había planeado y practicado esa frase frente al espejo, en su cabeza, en todos sus momentos libres para que sonase tranquila, segura, decidida.

Las palabras parecieron quedar colgadas en el espacio y Bethany lo miró, ignorando el calor que sentía en las mejillas y fingiendo que su presencia no la afectaba en absoluto. Pero su corazón latía como si hubiera gritado la frase con una voz que podría romper cristal, ensordeciendo a toda la ciudad.

Leo estaba muy cerca, tanto que podía sentir el calor que emitía su cuerpo, mirándola con esos ojos indescifrables. Leo, el marido al que una vez había amado de manera tan destructiva, tan desesperada, cuando no sabía quererse a sí misma.

De repente, una oleada de tristeza le recordó cómo se habían fallado el uno al otro. Pero ya no. Nunca más.

Le sudaban las manos y tenía que hacer un esfuerzo para no salir corriendo, pero debía mostrarse indiferente, se dijo a sí misma. Cualquier otra emoción y estaría perdida.

–Es un placer volver a verte –dijo él por fin, su inimitable acento italiano como una caricia. Sus ojos oscuros brillaban con fría censura mientras la miraba de arriba abajo, observando el elegante moño francés que sujetaba sus rizos oscuros, su mínimo maquillaje, su serio traje negro. Se lo había puesto para convencerlo de que aquello no era más que una situación incómoda y porque ayudaba a esconder su figura. Ya no era la chica a la que él podía llevar al orgasmo con una simple caricia y aun así la ponía nerviosa. Seguía sintiendo que su cuerpo ardía donde la tocaba su mirada.

Odiaba que pudiera hacerle eso después de todo lo que había pasado. Como si tres años después su cuerpo aún no hubiera recibido el mensaje de que habían terminado.

—No sé por qué me sorprende que una mujer que se ha comportado como tú reciba a su marido de tal forma.

Bethany no iba a dejar que viera cómo seguía afectándola cuando había rezado para dejar todo eso atrás. Se preocuparía más tarde de lo que significaba, cuando tuviera tiempo de procesar lo que sentía por aquel hombre. Cuando estuviera libre de él.

Y tenía que librarse de él. Era por fin el momento de vivir su vida en sus propios términos. Era hora de abandonar esa patética esperanza de que él fuera a buscarla. Había vuelto esa terrible noche y luego se marchó de nuevo, dejándole bien claro que no era importante para él. Y tres años después, ella pensaba hacer lo mismo.

—Disculpa si he pensado que ser cordial era absurdo dadas las circunstancias.

Bethany tenía que moverse o explotaría, de modo

que se acercó a un cuadro y sintió que Leo iba tras ella. Estaba a su lado de nuevo, lo bastante cerca como para sentir su calor. Lo bastante cerca como para sentir la tentación de apoyarse en él.

Pero debía controlar sus destructivos impulsos, pensó amargamente.

–Nuestras «circunstancias» –repitió él–. ¿Es así como lo llamas? ¿Es así como racionalizas tus actos?

–Da igual cómo lo llamemos –replicó Bethany, intentando permanecer serena. Pero cuando se volvió hacia él deseó no haberlo hecho. Era demasiado alto, demasiado poderoso, demasiado todo–. Es evidente que ha pasado el tiempo para los dos.

No le gustaba cómo la miraba, con los ojos semi-cerrados de un predador. Le recordaba lo peligroso que era aquel hombre y por qué lo había dejado.

–¿Es por eso por lo que te has dignado a ponerte en contacto conmigo de nuevo? ¿Para hablar del divorcio?

–¿Por qué si no iba a ponerme en contacto contigo? –le preguntó ella. Intentaba parecer indiferente, pero estaba llena de ansiedad.

–No se me ocurre otra razón, por supuesto –asintió él–. No había pensado que estuvieras dispuesta a retomar tus obligaciones o a mantener tus promesas. Y, sin embargo, aquí estoy.

Bethany no sabía durante cuánto tiempo podría mantener esa fachada. Leo era demasiado abrumador. Había sido incapaz de lidiar con él perdida en la volcánica pasión que había entre los dos. Pero su furia, su frialdad, era mucho peor. Y no sabía si podría fingir que no le hacía daño.

–No quiero nada de ti salvo el divorcio –insistió.

Su cuerpo estaba librando una guerra. Una parte de ella quería salir corriendo y desaparecer en la fría noche, pero otra parte anhelaba sus manos, que podían darle tanto placer. No quería pensar en eso, no quería recordar. Tocar a Leo di Marco era como lanzarse de cabeza al sol. No sobreviviría una segunda vez. Ella sentiría demasiado, él no sentiría nada y sería ella quien pagase el precio. Lo sabía como sabía su propio nombre.

Bethany irguió los hombros y se obligó a mirarlo directamente a los ojos, como si de verdad fuera una mujer valiente y no una mujer desesperada.

–Quiero terminar con esta farsa, Leo.

–¿A qué farsa te refieres? –le preguntó él, metiendo las manos en los bolsillos del pantalón–. ¿A cuando te marchaste de casa, renunciando a tus obligaciones como mi esposa para irte al otro lado del mundo?

–Eso no fue una farsa –dijo ella–. Es un hecho.

–Es una desgracia –replicó Leo, con serena ferocidad–. ¿Pero por qué hablar de eso? Está claro que no te importa nada la vergüenza que has llevado a mi apellido y a mi familia.

–Y por eso debemos divorciarnos –insistió Bethany–. Problema resuelto.

–Dime una cosa –con un gesto, Leo alejó a un camarero que se acercaba con una bandeja–. ¿Por qué ahora? Han pasado tres años desde que me abandonaste.

–Desde que escapé de ti querrás decir –replicó ella. Y supo en cuanto lo hubo dicho que era un grave error.

Los ojos oscuros de Leo brillaron y ella tuvo que tragar saliva. Tenía la sensación de no ser para él más que una presa, pero no podía apartar la mirada.

No iba a firmar otro trato con el diablo por desesperación, pero lo peor de todo era esa llamita de esperanza que nada conseguía apagar, ni siquiera su falta de interés.

Tenía que librarse de él para siempre.

Leo estaba furioso. Pero no era más que rabia, no era más que indignación, se decía a sí mismo; no era más que eso. La capacidad de aquella mujer de romper su armadura protectora y herirlo en lo más hondo era algo del pasado. Tenía que serlo.

Había pasado todo el día de reunión en reunión en Bay Street, la zona financiera de Toronto. No había banquero o empresario allí que se atreviera a retar al antiguo apellido Di Marco, con sus ilimitados fondos. Bethany era la única mujer que lo había desafiado, que le había hecho daño. La única persona en toda su vida.

Y tres años después, seguía siendo capaz de hacerlo.

Leo se veía obligado a mantener una fría apariencia, pero podía sentir la rabia que sólo ella inspiraba abriéndose como una caverna. Sabía muy bien por qué había querido que se vieran en un sitio público, como si él fuera un animal salvaje. Como si necesitara ser contenido, sujetado. No sabía por qué aquel nuevo insulto le dolía tanto.

Le enfurecía no ser inmune a su belleza, que lo había cautivado y engañado, pero seguía siendo una tentación. Los angelicales ojos azules eran un intrigante contraste con sus rizos oscuros, todo ello atemperado por esas pecas en la nariz que le daban aspecto de niña...

No quería concentrarse en sus carnosos labios. No parecía importar que conociese sus rasgos a la perfección, que supiera que su aparente inocencia era una farsa.

Nunca había importado.

Quería tocarla, besarla, acariciar sus pechos con la lengua. Se decía a sí mismo que eso era lo único que deseaba, lo único que podía permitirse a sí mismo desear.

–¿Escapar de mí? –repitió, con frialdad–. Que yo sepa, vives rodeada de todas las comodidades, en una casa de mi propiedad.

–¡Porque tú lo exigiste! –exclamó ella.

Se había puesto colorada. Él conocía otras maneras de despertar ese color en sus mejillas y estuvo a punto de sonreír, recordando.

–Yo no quería vivir allí –siguió Bethany.

Él era un hombre que dirigía un imperio. Lo había hecho desde la muerte de su padre, cuando sólo tenía veintiocho años, manteniendo la fortuna familiar y ampliando y modernizando el negocio. ¿Cómo podía aquella mujer seguir desafiándolo? ¿Cómo era posible? ¿Qué absurda debilidad sentía por ella?

Pero sabía cuál era esa debilidad, que había estado a punto de arruinarlo. La sentía en el peso de su entrepierna, que lo urgía a meter las manos bajo ese traje negro que se había puesto para esconderse de él.

Porque Bethany no podía negar lo que sentía cuando la tocaba. Podía negar cualquier cosa salvo eso.

–Estoy fascinado por tu poco característica conformidad –le dijo, con los dientes apretados–. Recuerdo haber hecho demandas que tú no quisiste cumplir: que siguieras en Italia como exigía la tradición, que no avergonzases a mi familia con tu comportamiento, que honrases tus promesas...

–No voy a discutir contigo, Leo –lo interrumpió ella, levantado la barbilla–. Puedes revisar la historia como quieras, pero yo he terminado de discutir contigo para siempre.

–Entonces estamos de acuerdo –asintió él–. No me gustan las escenas. Si tu plan era avergonzarme esta noche, sugiero que lo pienses mejor porque no creo que termine como tú deseas que termine.

–No hay necesidad de provocar una escena –Bethany se encogió de hombros, llamando la atención de Leo hacia su cuello y recordándole los besos que le había dado allí, lo adictivo de su piel. Pero era como si se tratase de otra vida–. Sólo quiero divorciarme de ti. Nada más.

–¿Porque fue horrible para ti estar casada conmigo? Ah, cuánto debes haber sufrido.

Él no era un hombre que creyera en demostraciones públicas de afecto, pero aquella mujer siempre lo había provocado como ninguna. Y esa noche, sus ojos eran demasiado azules, sus labios demasiado jugosos...

–Entiendo cómo debió de dolerte vivir rodeada de lujos, tener todos los beneficios de mi apellido y mi protección sin ninguna responsabilidad.

–Ya no deseo nada de eso –dijo Bethany.

Su tono era retador, pero Leo vio un brillo de vulnerabilidad en sus ojos. ¿Bethany vulnerable? Ése no era el adjetivo que él usaría para describirla. Salvaje, incontrolable, rebelde, inmadura. Pero nunca vulnerable o herida. Nunca.

Impaciente, Leo intentó controlar tales pensamientos. Lo último que necesitaba en aquel momento era sentirse intrigado por Bethany. Aún no se había recuperado del desastre en que había terminado su fascinación por aquella mujer...

–¿Cómo puedes estar segura cuando nos has tratado a los dos con tal falta de respeto?

–Quiero el divorcio –insistió Bethany–. Esto se ha terminado, Leo. He seguido adelante con mi vida.

–¿Ah, sí? ¿En qué sentido?

–Voy a marcharme de la casa –le dijo–. La odio. Nunca he querido vivir en ella.

–Eres mi mujer –replicó Leo, aunque sabía que esa palabra ya no tenía ningún significado para ella por mucho que sí lo tuviese para él–. Quieras tú o no. Que hayas dado la espalda a las promesas que hiciste no significa que yo lo haya hecho también. Dije que te protegería y lo dije en serio, aunque sea de ti misma.

–Ya sé que te crees un héroe –Bethany suspiró–. Pero no creo que nadie vaya a secuestrarme. Créeme, no le cuento a nadie cuál es nuestra relación, de modo que no estoy en peligro.

–Y, sin embargo, la relación existe –su voz podría haber derretido acero–. Y por ello, tú podrías ser un objetivo.

–No lo seré durante mucho más tiempo –insistió

ella, decidida–. Y no he tocado el dinero de la cuenta, por cierto. Voy a salir de este matrimonio exactamente como entré.

Leo casi la admiraba. Casi.

–¿Y dónde piensas ir? –le preguntó en voz baja, sin atreverse a acercarse porque sabía que, si la tocaba, se pondría en evidencia.

–No es asunto tuyo, pero he conocido a otra persona –respondió Bethany, con mirada retadora.

Capítulo 2

FUE COMO si la galería de arte desapareciera de repente. Leo no se había movido y, sin embargo, Bethany sintió como si la hubiera arrinconado.

¿De verdad había dicho eso? ¿De verdad se había atrevido a decirle eso a aquel hombre? ¿A su marido?

Aunque la situación no sería peor si fuera verdad, Bethany se encontró conteniendo el aliento.

Durante unos segundos interminables, Leo se limitó a mirarla con un brillo de furia en los ojos.

–¿Y quién es el afortunado? –preguntó por fin–. ¿Quién es tu amante?

Bethany hizo un esfuerzo para mantener la calma. Lamentaba haberle mentido. Sólo lo había hecho para herirlo de alguna forma, para atravesar esa barrera de férreo control y hacer que se sintiera tan inseguro como ella. Para demostrarle que hablaba completamente en serio. ¿Pero por qué se había rebajado a mentir?

Entonces recordó con quién estaba lidiando. Leo diría cualquier cosa, haría cualquier cosa con tal de salirse con la suya. Y ella debía ser despiadada. Al menos, había aprendido eso.

–Nos conocimos en la universidad mientras terminaba la carrera –respondió, mirando sus fríos ojos.

Se recordó a sí misma que el objetivo era terminar con ese matrimonio de una vez por todas. ¿Por qué iba a hacerlo con guantes de seda cuando Leo utilizaría todo lo que tuviera en su mano para impedírselo?

–Es todo lo que busco en un hombre –siguió–. Es considerado, comunicativo. Tan interesado en mi vida como en la suya propia.

Al contrario que Leo, que había abandonado a su joven esposa en cuanto llegaron a Italia porque los negocios requerían su atención. Al contrario que Leo, que se había encerrado en sí mismo por completo, mostrándose frío con ella.

Al contrario que Leo, que no dejaba de mencionar palabras como «responsabilidad» y «deber», pero sólo quería decir que debía obedecer sus órdenes sin cuestionarlas.

Al contrario que Leo, que había usado la poderosa química sexual que había entre ellos como un arma, convirtiéndola en adicta para abandonarla después.

Bethany no había podido entender por qué el hombre que una vez la había adorado desaparecía por completo, como si fuera otra persona.

Leo la miraba como si supiera lo que estaba pensando, lo que estaba recordando: sus cuerpos unidos, su piel cubierta de sudor... y él enterrándose en ella una y otra vez.

Bethany respiró profundamente, apartando la mirada e intentando controlar los latidos de su corazón. No había sitio para esos recuerdos. No tenía sentido. Leo había estado a punto de destruirla, pero había sobrevivido y lo único que quedaba por hacer era solucionar el problema legal. Lo habría hecho a través de los abogados si no hubieran insistido en que el príncipe querría lidiar con el asunto personalmente.

–Pues entonces debe de ser un modelo de hombre –dijo él, con aparente calma.

–Lo es –asintió Bethany, preguntándose por qué se sentía tan incómoda, incluso infantil, aún sabiendo que estaba usando la única arma a su disposición. Tal vez era que estar cerca de Leo la hacía sentir como se había sentido cuando estaba con él, tan joven, tan ingenua.

–Yo no tengo intención de separar a una pareja tan perfecta –dijo Leo entonces, pasando una mano por la solapa de su chaqueta, como si necesitase alisarla. Como si algo de su propiedad pudiera atreverse a desafiar sus órdenes.

Bethany frunció el ceño.

–No hay necesidad de ponerse sarcástico.

–Debo ponerme en contacto con mis abogados –siguió Leo, sin dejar de mirarla a los ojos.

Y a ella le temblaron las rodillas.

Qué injusto que pudiera seguir afectándola de esa forma después de todo lo que había pasado.

–¿Tus abogados? –repitió, sin saber qué decir.

Ojalá hubiera tenido más experiencia cuando conoció a Leo. Ojalá no hubiera pasado su juventud encerrada, cuidando de su padre. ¿Pero qué otra cosa podía haber hecho? No había nadie más para cuidar de él.

Había tenido que dejar los estudios en el segundo curso de carrera, cuando apenas tenía diecinueve años. Tenía veintitrés cuando conoció a Leo, durante un viaje al que había sido el sitio favorito de su padre, Hawái. Había ido allí con el poco dinero que recibió del testamento para lanzar sus cenizas al mar, como él deseaba. ¿Cómo iba a estar preparada para un príncipe?

Jamás hubiera imaginado que algo así pudiera ocurrirle a ella o siquiera que hubiese príncipes fuera de los cuentos. Y había perdido la cabeza en el momento en que Leo clavó esos oscuros ojos en ella.

Tal vez si hubiera sido como otras chicas de su edad, si hubiera sido más madura, si hubiera podido salir de ese pequeño mundo en el que estaba encerrada debido a la enfermedad de su padre...

Pero no tenía sentido intentar cambiar el pasado y, además, no lamentaba los años que había pasado cuidando de él. Sólo podía seguir adelante, armada con la fuerza que no tenía a los veintitrés años. Entonces Leo la había aplastado, pero eso no volvería a pasar.

–Mis abogados deben encargarse del proceso de divorcio. Ellos me dirán lo que hay que hacer –la sonrisa de Leo era fría, amable–. Como comprenderás, no tengo experiencia con tales asuntos.

Bethany se sintió desconcertada. ¿Estaba ocurriendo de verdad? ¿Leo estaba de acuerdo? No había imaginado que tal cosa fuera posible. Había imaginado que pelearía sucio. No porque la quisiera, por supuesto, sino porque el príncipe Leopoldo di Marco no era un hombre al que dejase nadie.

Y Bethany no estaba segura de qué significaba la sensación de vacío que empezaba a experimentar.

–¿Es un truco? –le preguntó.

Leo levantó las cejas, en un gesto arrogante, tan típico de él.

–¿Un truco? –repitió, como si no entendiera el término.

–Te negabas a dejarme marchar –le recordó ella–. Y no parecías más resignado hace un momento. ¿Cómo voy a confiar en que hagas lo que tienes que hacer?

Él se quedó callado un momento y, de nuevo, Bethany sintió una oleada de calor. Y cuando Leo tomó su mano sintió que todo su cuerpo se tensaba. Querría apretar esa mano más de lo que deseaba respirar, pero se obligó a sí misma a permanecer inmóvil, dejando que la tocase, fingiendo que no la afectaba en absoluto.

Leo la miró durante unos segundos y luego bajó la mirada hacia su mano, moviendo el pulgar sobre el dorso, haciendo que sintiera escalofríos.

–¿Qué haces? –le preguntó Bethany. ¿Cómo podía seguir sintiéndose tan impotente? ¿Cómo podía seguir teniendo tal poder sobre ella?

–Parece que has perdido tu alianza –dijo él, con voz helada.

–No la he perdido, me la quité hace tiempo.

–Ah, claro.

–Había pensado empeñarla, pero me pareció mezquino.

–Y tú eres muchas cosas –murmuró Leo, clavando

en ella su mirada oscura–. Pero no eres mezquina, ¿verdad?

Leo miraba el ventanal del ático que usaba cuando estaba en Toronto, pero no veía las torres de Bay Street, ni las luces de la ciudad brillando a pesar de la hora.

No podía dormir. Se decía a sí mismo que era porque odiaba la lluvia, el frío y la humedad que llegaba del lago Ontario. Porque, acostumbrado al clima cálido de Italia, odiaba el frío de Canadá. Necesitaba otra copa, se dijo; tal vez eso lo ayudaría a tranquilizarse.

Pero no podía dejar de pensar en los ojos azules de Bethany, limpios y retadores. Y en ese brillo de vulnerabilidad que había en ellos, como si la hubiera herido de muerte.

Era una especie de bruja.

Eso mismo había pensado cuando chocaron en la playa de Waikiki. La había sujetado por los hombros para evitar que cayera al suelo y habían sido esos ojos lo que lo atrajo de ella, tan grandes, tan azules como el mar frente a ellos y el amplio cielo de Hawái.

Bethany, con el pelo mojado y los sensuales labios entreabiertos, lo había mirado como si fuese el mundo entero. Y él había sentido lo mismo.

Cómo habían cambiado las cosas.

No era suficiente con haber perdido su renombrado autocontrol con ella. Que hubiese traicionado los deseos de su familia y sus propias expectativas para casarse con una desconocida, de un sitio tan lejos de Italia. Debería haber elegido una esposa italiana, alguien con un título nobiliario, una mujer con pedigrí y sangre azul; ése era el destino que había aceptado, como un deber más. Era el príncipe Di Felici y las raíces de su familia llegaban hasta el siglo XIII en Florencia. Y todo el mundo esperaba que su futura esposa tuviese una herencia igualmente impresionante.

Y, sin embargo, se había casado con Bethany. Se había casado con ella porque por primera vez en su vida se había sentido temerario, apasionado, lleno de vida. No era capaz de imaginar la vida sin ella.

Y había pagado un precio muy alto por esa locura.

Leo se volvió para dejar su vaso sobre la mesa, negándose a pensar en la opresión que sentía en el pecho. No se molestó en mirar los suntuosos sofás, ni las estatuas que decoraban la habitación.

Sólo podía pensar en Bethany, algo a lo que se había acostumbrado en esos años. Era su único pesar, su único error. Su mujer.

Había comprometido más de lo que creía posible, contra todos los consejos de todos e incluso contra su propio instinto. Había creído que sus problemas durante el primer año de matrimonio eran una fase, que se le pasaría, que era algo lógico mientras se acostumbraba a la vida en Italia.

Había sufrido su mal humor, su resistencia a cumplir con sus deberes oficiales, incluso su horror cuando anunció que quería tener hijos lo antes posible. Había creído tontamente que necesitaba tiempo para acostumbrarse a su nuevo papel como princesa Di Felici.

Y había permitido que lo dejase, atónito y dolido. Estaba seguro de que recuperaría el sentido común y volvería con él, que necesitaba tiempo para acostumbrarse a la idea de que su vida era otra en ese momento, tan diferente a la que había vivido una chica sencilla de Toronto.

Después de todo, él mismo se había pasado la vida intentando acostumbrarse a los deberes de la herencia Di Marco y a sus muchas exigencias. Cuando se casaron, Bethany era tan ingenua, tan poco sofisticada.

Y así era como le pagaba, pensó. Mintiéndole sobre un amante inexistente cuando debería saber que él conocía todos sus movimientos. Diciendo que quería el divorcio en un sitio público, donde cualquiera podría haberla escuchado.

Se alegraba de estar furioso porque eso era más fácil que enfrentarse con lo que había por debajo de esa furia. Y había jurado no mostrar nunca su vulnerabilidad, nunca más.

La venganza sería dulce, decidió, y no tendría ningún escrúpulo. Pensó entonces en ese brillo de vulnerabilidad en sus ojos...

Los Di Marco no se divorciaban. Nunca.

La princesa Di Felici tenía dos deberes: apoyar a su marido en todo y darle un heredero que heredase el título.

Leo se dejó caer sobre un sofá, suspirando.

Era hora de que Bethany empezase a asumir sus responsabilidades.

Y si esas responsabilidades la obligaban a volver

con él como debería haber hecho tres años antes, mucho mejor.

Bethany no debería haberse sorprendido al ver a Leo al día siguiente en la puerta de su dormitorio. Pero no pudo contener un gemido.

Era la sorpresa, se dijo a sí misma; sólo eso. Desde luego, no era esa loca esperanza que se negaba a reconocer.

–¿Qué haces aquí? –le preguntó. Aunque sabía qué hacia allí, al fin y al cabo era su casa. Tres plantas de ladrillo y dinero de toda la vida en Rosedale, la zona más lujosa de Toronto. El sitio donde el príncipe Leopoldo di Marco, el príncipe Di Felici, debía residir.

Bethany odiaba aquella casa que era una contradicción para ella, más bien una mentira. Y, sin embargo, Leo había insistido en que viviera allí o en Italia con él y, tres años antes, no tenía fuerzas para buscar una tercera opción.

Mientras viviera bajo su techo estaba esencialmente consintiendo a esa farsa de matrimonio y al control de Leo. Sin embargo, se había quedado allí hasta que ya no le quedaba ni la mínima esperanza de que fuera a buscarla.

Una vez aceptada tan deprimente verdad, había sabido que era el momento de actuar.

–No creo que mi presencia no puede ser tan sorprendente –dijo Leo.

–¿Y no puedes llamar al timbre como todo el mundo? –le espetó ella, más seca de lo que pretendía.

No ayudaba nada que no hubiese dormido bien, pensando en él. Ni que fuera vestida con un pantalón vaquero y una sencilla camiseta de manga larga, sus rizos sujetos en una coleta, decidida a guardar sus cosas en cajas. No tenía precisamente un aspecto muy elegante.

Él, por supuesto, iba impecable con una camisa oscura que se ajustaba a su torso y un pantalón de lana gris que destacaba las fuertes columnas de sus muslos.

Leo se apoyó en el quicio de la puerta y la miró en silencio durante unos segundos.

–¿Por qué te pones tan antipática, Bethany? ¿De verdad crees que merezco esa hostilidad?

Algo más profundo que la pena, y parecido al bochorno, hizo que se le encogiera el estómago. Pero se obligó a sí misma a no hacer lo que el instinto le pedía que hiciera: disculparse. No, no iba a hacerlo. Sabía por experiencia cómo terminaría eso. Leo tomaba y tomaba hasta que no le quedaba nada más que darle.

De modo que no dijo nada. Ni siquiera se encogió de hombros. Siguió guardando cosas en la caja como estaba haciendo antes de que apareciese.

–Sé que ésta es tu casa, pero te agradecería que tuvieras la cortesía de llamar al timbre. Es lo más lógico.

Había tantas minas por el suelo, tantos recuerdos. Y en lo único en lo que podía pensar era en su primera noche en Italia y en las pacientes instrucciones de Leo sobre cómo debía comportarse, entre besos, en su cama. Pero había empezado a ser menos paciente y mucho menos afectuoso con el paso del tiempo, cuando quedó claro que había cometido un error al casarse con ella.

–Por supuesto –murmuró Leo–. ¿Estás guardando tus cosas?

–No te preocupes, no voy a llevarme nada que no sea mío.

–Es un alivio –dijo él, irónico.

Cuando había doblado el mismo jersey cuatro veces sin éxito, Bethany se volvió para mirarlo, tragándose la ansiedad y otro sentimiento que no quería reconocer.

–Leo, de verdad, ¿para qué has venido?

–Hacía tiempo que no venía por aquí.

–No, desde luego –murmuró Bethany.

¿Cómo se atrevía a recordar esa noche, esa terrible, vergonzosa noche? ¿Cómo podía ella haberse comportado de ese modo cuando estaba dispuesta a dejarlo? ¿Y cómo toda esa furia y ese fuego se habían convertido en pasión, en deseo incontenible? Que hubieran hecho el amor con esa ferocidad era algo que seguía haciéndola temblar.

Bethany no sabía lo bajo que podía caer hasta que Leo la llevó allí.

–Tengo noticias para ti –dijo él entonces–. Pero no creo que te gusten.

–¿Qué noticias?

Leo no respondió inmediatamente. En lugar de eso empezó a moverse por la habitación, empequeñeciéndola con su formidable presencia.

Bethany lo vio mirar las sábanas dobladas y colocadas sobre la cama mientras, en su memoria, revivía esa noche... el jarrón que cayó al suelo haciéndose pedazos, la risa de Leo, la camisa que ella misma había arrancado con manos desesperadas, la boca de Leo aplastando la suya, sus manos de fuego llevándola al cielo, maldiciéndolos a los dos...

Cuando levantó la cabeza la encontró mirándola con un brillo en los ojos, como si también él estuviera recordando la escena. Estaba al pie de la cama, demasiado cerca de ella. Si la tocase, Bethany no estaba segura de lo que pasaría.

Se quedó helada entonces, sorprendida por la dirección de sus pensamientos, sintiendo una desesperación ya familiar.

Seguía deseándolo, a pesar de todo, seguía deseando a Leo. No entendía que pudiera ser así, pero sólo quería que se marchase de una vez. Necesitaba liberarse de él.

Fue como si Leo hubiera leído sus pensamientos. El silencio parecía cargado, como un ser vivo. Su mirada se clavó en sus labios y luego más abajo, en la curva de sus pechos, y Bethany sintió como si hubiera puesto las manos allí.

–Has dicho que tienes una noticia que darme –su voz casi sonaba serena, como si su corazón no latiese por él, como si no sintiera una descarga eléctrica cada vez que lo miraba.

–Sí, es cierto –asintió Leo, demasiado alto y demasiado poderoso para estar en aquella habitación, en su vida–. Existe una pequeña complicación con respecto al divorcio.

–¿Qué complicación? –preguntó ella, suspicaz.

–Me temo que no puede ser –Leo se encogió de

hombros, ese gesto tan italiano como diciendo que la situación escapaba a su control.

–¿No querrás decir...? –Bethany lo miró a los ojos y sintió que se le ponía la piel de gallina. Era como si alguien hubiera caminado sobre su tumba, pensó.

–No hay manera de solucionarlo –dijo él–. Me temo que debes volver a Italia.

Capítulo 3

NO PIENSO volver a Italia –dijo Bethany, sorprendida de que pudiera sugerir algo tan absurdo.

¿Había perdido la cabeza? Él había conseguido que detestase ese país y no se le ocurría nada que la hiciera volver. Volver a Italia significaba volver a ser esa chica ingenua y sin personalidad que había sido mientras vivía allí y no volvería a serlo nunca.

Pero Leo la miraba con esos ojos tan perceptivos, como si supiera algo que ella no sabía.

–¿Ah, no?

–Por supuesto que no. Es absurdo.

Leo levantó las cejas, como asombrado de que alguien se atreviera a sugerir que el príncipe Di Felici decía algo «absurdo». Por supuesto, él estaba acostumbrado a que todo el mundo le diera la razón.

Bethany se mordió los labios, pero no pensaba dar marcha atrás.

–Me temo que no hay otra solución si quieres divorciarte de mí.

Si fuera otro hombre, pensaría que usaba un tono de disculpa. Pero era Leo, de modo que tenía que sospechar...

–Claro que, si quieres que sigamos estando simplemente separados, puedes quedarte aquí.

–No soy tan tonta, Leo. Soy ciudadana canadiense y no necesito ir a Italia para divorciarme de ti. Puedo hacerlo aquí mismo.

–Eso sería cierto si no hubieras firmado todos los documentos cuando nos casamos –dijo él, con aparente tranquilidad–. Tal vez no lo recuerdas, pero cuando llegaste al castillo...

–Por supuesto que me acuerdo –lo interrumpió Bethany–. ¿Cómo iba a olvidar que estuve un día entero firmando documentos legales?

Recordaba muy bien los aterradores e interminables folios que un ejército de abogados había ido colocando sobre la mesa, exigiendo que firmara una y otra vez.

«Firme aquí, *principessa*».

La mayoría de los documentos estaban en italiano y llevaban un sello oficial. Ella no entendía una sola palabra, pero estaba tan desesperadamente enamorada de Leo que los había firmado todos.

–Entonces tal vez no hayas olvidado lo que firmaste –siguió él.

–No tengo ni idea de lo que firmé y tú lo sabes. No hablo italiano –tuvo que admitir ella. Le dolía haber sido tan confiada incluso cinco años antes, al principio de su matrimonio, cuando creía que Leo era el mundo entero para ella–. Lo firmé todo porque tú me lo pediste, porque confiaba en ti. Pensé que te preocupabas tanto por mis intereses como por los tuyos, pero es un error que no volveré a cometer.

–No, claro que no –asintió Leo, irónico.

Luego miró alrededor, observando los elegantes muebles, las paredes azules con delicadas molduras y la gruesa alfombra bajo sus pies.

–Porque –siguió, con el mismo tono– has vivido como si fuera una pesadilla desde el día en que aceptaste casarte conmigo.

–¿Vas a decirme qué derechos he conculcado firmando esos papeles o prefieres quedarte ahí haciendo comentarios sarcásticos todo el día? –replicó Bethany, exasperada por su tono condescendiente. Odiaba que la mirase de ese modo tan arrogante, como intentando intimidarla.

–Mis disculpas –dijo él, desdeñoso–. No sabía que mis preferencias te interesasen en absoluto. Pero eso no tiene importancia, claro. La cuestión es que firmaste que, de haber un proceso de divorcio, tendría lugar en los tribunales italianos.

–Y, naturalmente, tengo que fiarme de tu palabra –replicó Bethany, horrorizada–. Porque yo no puedo saberlo.

–Si quieres contratar un traductor para que examine los documentos, le pediré a mis secretarios que los pongan a tu disposición inmediatamente.

–¿Y cuánto tardaría en hacer eso? ¿Años? –exclamó ella–. Todo esto es un juego para ti, ¿verdad?

Su mirada pareció encenderse entonces y la sala empequeñeció de repente hasta que no quedaba más que Leo, el auténtico Leo, demasiado furioso y oscuro, demasiado cerca. Podía alargar una mano y tocarlo, podía incluso respirar el aroma de su exclusiva colonia.

Y podía arruinar todo lo que estaba intentando conseguir.

–Debes volver a Italia si quieres divorciarte de mí –insistió Leo, con voz ronca–. No hay otra solución.

–Qué conveniente para ti –consiguió decir Bethany con voz temblorosa–. Me pregunto cómo sería tratada la esposa extranjera de un príncipe italiano.

–No es tu lugar de nacimiento lo que debería preocuparte –replicó Leo, sus facciones tan arrogantes, tan frías e imposiblemente hermosas–. Pero que abandonaras a tu marido para buscar un amante... eso, me temo, podría obligar a los tribunales a decidir que la disolución del matrimonio es culpa tuya –añadió, encogiéndose de hombros–. Pero tú estás orgullosa de haberlo hecho, ¿verdad? ¿Por qué te preocupa entonces?

Bethany sintió una opresión en el pecho que le impedía respirar y hacía que sus ojos se empañaran. Era su tono al pronunciar la palabra «abandono» tal vez. Hacía que casi quisiera confesarle que era mentira, que no tenía un amante. La hacía desear poder seguir creyendo en los sueños que se había visto obligada a olvidar años atrás.

Pero ella sabía que no debía darle munición. Mejor que la odiase y la dejase en paz.

–Tiene que haber otra manera –empezó a decir.

Leo negó con la cabeza, ese amable exterior escondiendo la arrogancia y la furia que había dentro de él. Bethany podía sentirlas como un torno apretando su corazón. Demasiada emoción, demasiada historia entre ellos.

–No lo acepto –dijo luego.

–Por lo visto, hay muchas cosas que no aceptas, pero eso no significa que no sean verdad.

La deseaba. Siempre la había deseado y había dejado de preguntarse a sí mismo por qué.

Daban igual sus mentiras, sus insultos, sus acusaciones. Sólo quería estar enterrado en ella, con sus piernas enredadas en la cintura, donde estaba la única verdad que importaba en su relación, quisiera creer Bethany lo que quisiera.

Y debería saber que no era buena idea estar con él cerca de una cama. Debería saber que las discusiones, los desacuerdos, todo desaparecía cuando la tocaba... y sentía un poderoso deseo de demostrárselo.

Ella se apartó los rizos de la cara, mirándolo con expresión agotada.

–Te preguntaría qué quiere decir eso y seguro que a ti te encantaría decírmelo, pero estoy cansada de tus juegos, Leo. No pienso volver a Italia. Nunca.

Un juego había dicho. Y eso era, tenía que ser un juego.

–Haces tan grandes proclamas: no volverás jamás a Italia. Hace tres años no volverías a acostarte conmigo... tantas amenazas que no terminan en nada.

–No son amenazas, es la verdad. Ya no soy tu mujer. Siento mucho que no estés acostumbrado a escuchar verdades porque te rodeas de aduladores que te dicen sólo lo que quieres escuchar, Leo. Pero todo eso es culpa tuya, deberías vivir en el mundo real.

Él dio un paso adelante.

–No volverías a hablar conmigo cuando te marchases de Italia. No seguirías en esta casa cuando me hubiera ido... pero aquí estás. Y no olvidemos mi amenaza favorita –Leo dio otro paso adelante, sin tocarla como le gustaría. Estaba tan cerca que Bethany tuvo que levantar la cabeza para mirarlo, sus labios entreabiertos, sus mejillas ardiendo.

–¿Qué quieres, asustarme? –le espetó, pero era apenas un susurro–. ¿Esperas que salga corriendo?

–Prometiste no volver a estar cerca de mí, dijiste que te daba asco –le recordó Leo, mirándola a los ojos–. ¿Es por eso por lo que tiemblas, Bethany? ¿Te doy asco?

–No es algo tan profundo como eso –contestó ella, apartando la mirada–. Es simple aburrimiento de la situación.

–Estás mintiendo y lo sabes –dijo él, intrigado por las sombras que veía en sus ojos azules.

No le sorprendió que se apartase, poniendo más distancia entre los dos, como si eso pudiera evitar el deseo que había entre ellos. Como si algo pudiera evitarlo.

–Eso casi tiene gracia viniendo de ti, Leo.

–Dime en qué te he mentido. ¿Qué pecado he cometido para que me odies tanto?

–Como si no lo supieras –Bethany suspiró–. Como si no lo hubiéramos hablado una y otra vez.

–Muy bien, entonces hablemos de tus pecados. Podemos empezar por tu amante.

Sus palabras parecieron quedar colgadas en el aire, como una acusación. Le gustaría gritar, empujarlo, ponerse a llorar hasta que no le quedasen lágrimas.

Pero no era capaz de moverse. Se sentía clavada al suelo.

¿Por qué le había contado tan absurda mentira? ¿Por qué se había puesto en una posición en la que él podía sentirse superior?

–Es mejor que no hablemos de mi amante –le dijo, odiándose a sí misma por mantener la mentira. Pero tenía que hacerlo creíble–. No te puedes comparar con él en ningún sentido.

–¿Cómo vas a decirle que tendrás que seguir cometiendo adulterio porque no quieres finalizar el proceso de divorcio? ¿Qué hombre toleraría tal cosa cuando lo único que tienes que hacer es ir a Italia para terminar con ese detalle?

–Él es tremendamente tolerante –dijo Bethany. Pero la palabra «adulterio» parecía rebotar en su pecho, rompiendo pedazos de su corazón.

–Yo me voy a Italia mañana. Podríamos terminar con esto de una vez por todas.

Eso la paralizó y, por un momento, se limitó a mirarlo. No podía imaginar lo que significaría esa capitulación. No quería imaginarlo.

–Si no hay otra manera... –dijo por fin, sintiendo como si estuviera al borde de un precipicio, como si su voz perteneciese a otra persona–. Entonces supongo que tendré que ir a Italia.

Los ojos de Leo se oscurecieron aún más, con una pasión masculina que conocía bien y que atraía a esa parte de ella que odiaba por su debilidad.

Porque a pesar del dolor y de la soledad seguía deseándolo. Su cuerpo, su presencia, la luz de su sonrisa, el roce de sus manos, su proximidad.

El tiempo pareció detenerse. Sólo existía el brillo de sus ojos, como siempre. Un roce, le prometía su mirada, sólo un roce y sería suya. Sólo eso y se traicionaría a sí misma para siempre.

Y sabía que una parte de ella deseaba que lo hiciera, deseaba que la llevase a la cama y la tomase como el amante experto que era, haciendo que se derritiera, haciéndola suya en todos los sentidos.

–Mi avión está a tu disposición, naturalmente –dijo él, y Bethany pudo notar la intensa satisfacción en su tono, como si hubiera sabido desde el principio que todo iba a terminar así, como si pudiera leer sus pensamientos.

–No pienso ir contigo –Bethany mantuvo los hombros erguidos aunque estaba rindiéndose porque no sabía qué otra cosa podía hacer, cómo escapar de él, del pasado. Iría a Italia y lucharía allí, donde todo había terminado–. Iré por mi cuenta.

Y Leo, maldito fuera, sonrió.

Capítulo 4

EL PEQUEÑO y pintoresco pueblecito de Felici, la ancestral cuna de la familia Di Marco y el último sitio al que Bethany había querido volver en toda su vida, apareció en la falda de la colina bajo el último sol de la tarde, con sus tejados rojos y sus casitas blancas.

Allí estaba la iglesia del pueblo, con su orgullosa torre, sus campanas dando la hora como habían hecho durante siglos, rodeada de viñedos. Y sobre un promontorio, el antiguo castillo Di Felici, defendiendo el pueblo, anunciando el poder de la familia Di Marco a todos los que se aventurasen por esas tierras.

Todo eso estaba allí y, sin embargo, Bethany sólo podía ver fantasmas.

Subió por la vieja carretera hacia el centro del pueblo, famoso por sus estrechas callejuelas medievales, y se detuvo en el aparcamiento frente a la pensión. Pero no parecía capaz de llenar sus pulmones de aire o calmar los nervios que le encogían el estómago.

Había sido así desde que el avión despegó del aeropuerto de Toronto dos noches antes. Sólo había podido dormir unas horas, pero su sueño había sido inquieto, con la amarga mirada de Leo como un láser clavado en su corazón.

–Mis hombres irán a recibirte al aeropuerto –le había dicho, con ese tono tajante tan suyo, como si no hubiera discusión, antes de irse de la casa de Rosedale.

Había sido como volver al pasado. Bethany no podía soportar la idea de hacer lo que le pedía y no sólo porque él lo hubiese decretado, sino porque sentía claustrofobia al imaginar cómo sería: bajaría del avión y un ejército de desconocidos la meterían en un coche para llevarla al castillo con la pompa adecuada...

Sintió un escalofrío sólo de pensar en ello. Por eso había decidido ir a Roma en lugar de a Milán, que estaba más cerca.

Había llegado la noche anterior y, después de alquilar un coche para ir a Felici al día siguiente, cayó agotada en la cama del hotel, a las afueras de la ciudad. Eran casi las doce cuando por fin despertó, los rápidos latidos de su corazón diciéndole que los angustiosos sueños habían continuado durante la noche, aunque no los recordase.

Pero sí recordaba otras cosas, por mucho que intentase borrar los recuerdos.

–Ah, *luce mia*, cómo te quiero –le había susurrado Leo al oído en el balcón, frente al valle de Felici, mientras el sol se ponía esa primera noche en Italia.

–¿Tu luz? –le había preguntado ella–. ¿Por qué soy tu luz?

–Esos ojos –había respondido él, besando sus párpados–. Son tan azules como un cielo en verano. ¿Cómo puedes no ser mi luz?

Bethany salió del hotel y, antes de emprender el viaje, tomó un café expreso en una cafetería cercana, retrasando lo inevitable. No había querido ir a Italia, no había querido ir a Felici para adentrarse en el pasado, donde todos sus sueños se habían convertido en polvo.

Le parecía imposible que aquello estuviera pasando de verdad. Le recordaba los sueños que había tenido cuando se marchó de allí tres años antes. Entonces soñaba que no se había ido, que sólo lo había imaginado, que seguía mordiéndose la lengua y guardándose sus opiniones como la *principessa* en la que no había podido convertirse, que los largos y solitarios años desde que dejó a Leo no eran más que una pesadilla.

Siempre despertaba asustada, sus ojos llenos de lágrimas, el dormitorio haciendo eco como si hubiera gritado en sueños.

Pero no iba a despertar de aquel sueño, pensó mirando la pared cubierta de hiedra frente a ella.

Cuando salió del coche el aire era fresco, limpio. Casi le pareció que podía oler el maravilloso sol italiano. Podía ver los Alpes en la distancia, los viñedos interminables. Podía oler la rica comida italiana en el aire, la polenta y el cremoso *risotto*, el aceite de oliva...

Y todo eso llevaba tantos recuerdos que le dolía.

No pudo evitar mirar hacia el castillo, sus altos muros como parte del precipicio, feudal e imponente, mirando el pueblo como un dragón guardando un tesoro. Podía imaginar a generaciones de Di Marco peleando en sangrientas batallas, disfrutando de su riqueza e influencia desde la seguridad de sus torres. Casi podía imaginar a Leo como un señor feudal, con el mundo a sus pies.

Casi desearía poder odiar aquel sitio porque de algún modo culpaba a esas piedras por destruir su matrimonio. Era un sentimiento visceral, irracional, pero la chica que había entrado entre esos muros no había vuelto a salir jamás.

Desearía odiar los gruesos muros de piedra del castillo del siglo xv. Desearía odiar el puente que llevaba al interior de lo que había sido originalmente un monasterio. Desearía odiar el difunto foso bajo el escudo de armas de los Di Marco.

–¡Es precioso! –había exclamado la primera vez, entusiasmada. Y Leo la había tomado en sus brazos, dando vueltas en círculo, los dos riendo de alegría mientras entraban en el gran vestíbulo.

–No tanto como tú –le había dicho, con una sonrisa que Bethany había sentido en el corazón–. Nunca tan hermoso como tú, *amore mio*.

Intentando apartar de sí ese recuerdo y enfadada por tan absurda melancolía, Bethany sacó la maleta del coche y se dirigió a la entrada de la pensión. Había elegido aquel sitio a propósito porque era nueva y no habría ninguna posibilidad de encontrarse con alguien a quien hubiese conocido mientras vivía en Felici.

Y estaba razonablemente segura de que también podría evitar a Leo alojándose allí.

–No tendrás que estar en Italia más de dos semanas –le había dicho.

Dos semanas, tal vez un poco más. Si había sobrevivido a los últimos tres años, ¿qué importaban dos semanas?

Sin embargo, la idea de estar allí otra vez la empujaba inexorablemente hacia una vasta caverna de soledad y dolor y Bethany no pudo evitar lanzar una última mirada al castillo sobre su hombro mientras entraba en la pensión.

–Lo siento –le dijo el hombre de recepción, con fuerte acento italiano–. La habitación aún no está preparada.

Pero Bethany sabía la verdad. Podía verla en la expresión del hombre, que evitaba su mirada. Había ocurrido en el momento que dijo su nombre. No parecía importar que hubiera usado su apellido de soltera.

–Qué extraño. Son las cinco de la tarde.

–Si no le importa esperar un momento... –el hombre sonrió un poco cortado, haciéndole un gesto para que esperase en el vestíbulo.

Suspirando, Bethany se dirigió al sofá, sintiéndose frágil y agotada mientras el hombre llamaba a alguien por teléfono y hablaba en italiano.

Diez minutos después, la puerta se abrió y dos hombres con traje oscuro entraron en la pensión. No los reconocía, pero no tenía la menor duda de que eran hombres de Leo.

Cuando se acercaron a ella, Bethany siguió mirando hacia delante, intentando mantenerse calmada aunque tenía un nudo en el estómago.

–*Principessa* –dijo el más alto, con tono respetuoso–. *Per favore*...

¿Qué podía hacer? Era el pueblo de Leo y ella era su princesa. Había sido una tonta al pensar que podría volver a Felici sin que él controlase todos sus movimientos. Años atrás se había dicho a sí misma que Leo no sabía portarse de otra manera, que lo habían educado de ese modo, que no era culpa suya ser tan dictatorial.

Pero ahora sabía la verdad: Leo era así porque quería serlo. Lo que ella quisiera nunca había importado lo más mínimo.

De modo que se levantó con toda la dignidad de la que era capaz y dejó que los hombres de Leo la llevasen hasta el elegante coche negro que esperaba en la puerta, furiosa, impotente y tan desesperada como el día que se marchó de allí, mientras la llevaban a las fauces del castillo.

Todo estaba exactamente como lo recordaba, exactamente como lo había soñado tantas veces.

El gran castillo estaba silencioso, abierto al público sólo un par de días a la semana durante el verano y sólo después de pedir cita. Parecía vacío, aunque ella sabía que había hordas de empleados, tal vez incluso vigilándola.

Bethany sintió que se ahogaba, como si volviera atrás en el tiempo, a esa otra vida en la que había sido tan infeliz, en la que se había sentido tan terriblemente sola. Y había sido peor porque al principio no sabía que estuviera sola, aún creía que podría recuperarse de la muerte de su padre con la ayuda de Leo, que se convertirían en la familia que tanto anhelaba.

En lugar de eso, Leo la había abandonado de todas las maneras posibles.

Como si las propias piedras recordasen su dolor, parecían repetir no sólo el eco de sus pasos, sino el eco de esos días horribles en los que se había sentido tan sola, tan abandonada.

Apenas se fijó en la impresionante entrada, en los tapices sobre las paredes de piedra, en las habitaciones llenas de antigüedades valiosísimas, todas hablando de la herencia de Leo, de su pedigrí, de los siglos de historia de su familia. Sus silenciosos escoltas la llevaron al primer piso, a las habitaciones de la familia, y luego por un largo corredor hasta una puerta que conocía bien. Pero lo único que Bethany podía ver era el pasado.

Después de depositar su maleta en la entrada de la suite, la puerta se cerró silenciosamente y Bethany se quedó sola en la habitación que una vez había sido la suya, su lujosa jaula, como si no se hubiera ido nunca.

Suspirando, cerró los ojos. Aquélla era la principesca suite que pasaba de una novia Di Felici a otra, con los mejores muebles, cuadros con marco de pan de oro, una cama con dosel de caoba, el edredón de un opulento damasco rojo. Todo era de la mejor madera, las mejores telas, todo abrillantado y planchado. No había una sola mota de polvo en la habitación, ni una cosa fuera de su sitio, salvo la propia Bethany.

No tenía que investigar para saber que todo estaba exactamente como lo había dejado la última vez que estuvo allí. No tenía que acercarse a la ventana para saber que al otro lado estaban los cuidados jardines del castillo y, al fondo, los tejados del pueblo y el campo hasta donde llegaba el horizonte. Todo ello bellísimo y, sin embargo, capaz de hacer que esa sensación de vacío en su interior fuese aún más dolorosa.

No se volvió inmediatamente al oír que se abría la puerta porque sabía muy bien quién había entrado. Pero no pudo evitarlo, su mirada atraída hacia él como si fuera una llama y ella no más que una polilla. Leo estaba apoyado en la pared, con un pantalón oscuro y un jersey de cachemir negro que destacaba la anchura de sus hombros. Sus ojos parecían negros también y Bethany tuvo que hacer un esfuerzo para no pasarse una mano por la nuca, donde su vello se había erizado.

Tenía un aspecto tan imponente y poderoso como los antiguos dioses romanos que una vez habían vivido en aquellas tierras, caprichosos y crueles como él. Y sabía que Leo estaba igualmente decidido a vengarse. No tenía que sonreír sarcásticamente, no le hacía falta. Su mera presencia era suficiente.

Y Bethany sintió que, de nuevo, lo perdía todo.

–Ah, *principessa* –le dijo, su tono cargado de ironía–. Bienvenida a casa.

Leo se tomó un minuto para mirarla, de vuelta donde debía estar, por fin.

Verla allí casi curaba los tres años de ira... y otro sentimiento más profundo que experimentaba cuando la miraba. Bethany había cruzado los brazos sobre el estómago, como si le doliera estar allí, donde una vez había vivido. Donde, él lo sabía, viviría de nuevo.

Porque no permitiría que se fuera.

Parecía cansada, pensó, mirándola con ojo crítico. Estaba inusualmente pálida, aunque mantenía la cabeza erguida, con el mismo orgullo que había mostrado en Toronto. Él no quería su orgullo, pensó, quería su pasión. Y su aceptación.

Porque no se le ocurría de qué otro modo podía llegar hasta ella y estaba cansado de fingir que no era eso lo que quería.

Llevaba una camiseta ajustada que destacaba sus pechos, grandes y altos, y un cárdigan de lana azul claro que hacía que sus ojos pareciesen más brillantes de lo habitual. Seguía llevando unos vaqueros gastados... como una especie de gesto de rebeldía estaba seguro. Aunque la sensación de triunfo que él experimentaba al haberla llevado de vuelta a Italia era mucho más importante.

Quería tocarla, besarla, trazar la línea de ese largo cuello, enterrar los dedos en sus rizos oscuros. Darle la bienvenida a su casa, a su vida, a sus responsabilidades, a él, de un modo placentero para los dos.

Si pudiese encender su fuego de nuevo, pensó, sabría cómo atizarlo. Y no dejaría que se apagase nunca más.

Cuando Bethany lo miró con expresión recelosa, como si hubiera leído sus pensamientos, Leo sonrió.

—Espero que te encuentres cómoda.

—No entiendo por qué me has traído aquí. Había reservado habitación en una pensión del pueblo.

—Ah, veo que empiezas atacando —murmuró él—.

¿No te cansas de pelearte conmigo? Tenemos asuntos que discutir y no hay necesidad de histrionismos.

Ella levantó las cejas, sorprendida.

–¿No es más histriónico enviar a tus hombres a buscarme?

–Era necesario.

–No hay ninguna razón para que me aloje aquí.

–¿Por qué no? ¿Qué objeciones puedes tener a alojarte en el castillo?

Bethany lo miró con una expresión que Leo no había visto antes, una que sugería que él no era muy listo. Y eso lo hizo sentir... inquieto. La inquietud y la ya antigua frustración mezcladas con algo nuevo al ver a esa nueva Bethany que lo miraba con tanta calma. Como si él fuera la persona que estaba saltándose los límites de la propiedad y el autocontrol, cuando ése siempre había sido su papel.

–No quiero estar aquí, sencillamente. No necesito más objeción que ésa.

Leo se apartó de la pared, divertido al ver que ella daba un paso atrás, como temiendo que la tocase. Ojalá pudiese hacerlo. Le gustaría tumbarla con él en la cama, pero sabía que, por delicioso que fuera perderse en su cuerpo, eso sólo retrasaría lo inevitable.

El sexo nunca había sido un problema para ellos. Había sido un arma, un lugar donde esconderse. Y supo que ya no podía utilizarlo.

La quería de vuelta en su vida y esta vez la tendría de verdad.

–Voy a ser muy claro –dijo, con voz autoritaria–. No te alojarás en el pueblo. Que hayas intentado hacerlo después de ese infantil juego de ir a Roma y no a Milán sin mi anillo en el dedo y usando tu apellido de soltera aunque todo el mundo sabe quién eres, sólo deja claro tu egoísmo.

–¿Mi egoísmo? –repitió ella, atónita–. Qué increíblemente condescendiente y absurdo. Que tú hables de mi egoísmo me hace reír.

Leo se encogió de hombros.

–Si estás decidida a insultarme...

–Eres tú quien me está insultando –lo interrumpió Bethany.

–Se que estás enfadada por haber vuelto aquí.

Costase lo que costase, volvería a ser su esposa, se juró a sí mismo. Sería la *principessa* que había imaginado. Esta vez, no dejaría que fuese de otro modo.

–No tengo ninguna dificultad en aceptar que estoy aquí. Lo que no entiendo es que me hables como si fuera una niña. No lo soy, Leo.

–Sé que no lo eres –asintió él, mirándola a los ojos–. Pero es tu comportamiento lo que me produce esta confusión.

Bethany apretó los labios.

Leo se daba cuenta de que estaba enfadada, pero no entendía por qué. ¿Por haber escuchado la verdad? En realidad, le sorprendía que no le tirase algo a la cabeza.

La observó, fascinado a pesar de sí mismo, mientras intentaba mantener el control. Aquélla no era la Bethany que él conocía. Su Bethany era una mujer apasionada que lanzaba caros objetos de porcelana contra la pared, que gritaba hasta quedar ronca, que cuando se enfadaba hacía temblar los muros del castillo. Esa Bethany no era capaz de contener su temperamento como la mujer que tenía delante.

Sus ojos se habían oscurecido, pero no se movió, no dio un paso, no gritó. Sencillamente, lo miraba sin decir una palabra, con una expresión indescifrable.

Leo no sabía si admirar tan inesperada fortaleza o si eso hacía que se sintiera absolutamente perdido.

—No te permito que me hables como si fuera una adolescente recalcitrante o un miembro del servicio, Leo —le advirtió—. Entiendo que tú vives en un mundo en el que sólo tienes que expresar tus deseos y hay un ejército de gente dispuesto a complacerte, pero yo no soy una empleada, soy una mujer adulta que sabe lo que quiere.

Él soltó una carcajada.

—Ah, me alegro. ¿Eso significa que los antiguos y valiosos jarrones están a salvo esta vez?

La expresión de Bethany se oscureció, pero no dijo nada y, contra su voluntad, la fascinación de Leo aumentó un poco más.

—Trátame como si fuera una niña y yo te trataré exactamente de la misma forma. Y dudo mucho que tu exaltado ego pudiera soportarlo.

¿Ella una adulta? ¿Había dejado de portarse como una cría? Leo estaba encantado. ¿No era por eso por lo que había dejado que volviese a Canadá? Era tan joven cuando la conoció, mucho más joven de lo que debería. ¿No había querido él que madurase?

Si prefería a la niña antes que a esa mujer que lo miraba con expresión indescifrable, era problema suyo entonces.

—Sigues siendo mi mujer —dijo, después de unos

segundos–. Mientras sea así, no puedes alojarte en el pueblo. Eso provocaría demasiados comentarios.

–Gracias por hablarme como a una adulta por una vez en tu vida –replicó Bethany, sus ojos brillando con una mezcla de desafío y resignación–. Pero que te resulte tan difícil hacerlo no dice mucho de ti, ¿no te parece?

Capítulo 5

CONFÍO en que sea una pregunta retórica –dijo Leo.

Y Bethany supo que, si seguía mirándola de ese modo, no podría seguir fingiendo que estaba serena.

Más agitada de lo que le gustaría admitir, se acercó para admirar un cuadro que dominaba una de las paredes y que reflejaba el paisaje que había al otro lado de las ventanas un par de siglos atrás, pintado nada más y nada menos que por Tiziano.

Los jarrones de cristal de Murano sobre la cómoda reflejaban la luz de la lámpara de araña que colgaba en el techo. Bethany sabía que una de las más famosas ocupantes de la habitación había sido siglos atrás la hija de un noble veneciano y que la habitación había sido adaptada para rendirle homenaje desde entonces.

¿Qué legado podría haber dejado ella de haber seguido allí?, se preguntó. ¿Habría dejado una marca o habría sido tragada entera por el castillo, por aquella familia, por su historia? Irritada por tan absurdo pensamiento, Bethany sacudió la cabeza.

Fingió no darse cuenta de que Leo seguía mirándola desde la puerta que conectaba su habitación con la de él. Fingiendo que no sentía el peso de su mirada y el más pesado de los recuerdos.

Y, sin embargo, a pesar de sí misma, se fijaba en cada uno de sus movimientos, en cada aliento.

–Servirán la cena a las ocho –dijo él, cuando el silencio de la habitación parecía ahogarla–. Y sí, seguimos manteniendo la tradición de vestirse para cenar.

Bethany se volvió hacia él, esperando que sus pantalones vaqueros lo irritasen tanto como tres años antes, cuando su secretario la regañó por llevarlos. La habían visto en el pueblo con ellos, donde cualquiera podría haberla reconocido... oh, qué horror.

–Como no es usted una estudiante sino la *principessa* Di Felici, sería preferible que se vistiera de manera apropiada –le había dicho, muy serio.

Bethany se dijo a sí misma que sólo un momento antes le había recordado a Leo que había madurado y que ya no era una niña. De modo que no debería portarse como una niña.

–Como ves, he traído pocas cosas –le dijo, señalando su maleta–. Dudo que tenga algo apropiado para la ocasión. Además, no me importaría cenar en mi cuarto.

–No hay necesidad –Leo se acercó a la puerta del vestidor–. Tu vestuario está intacto.

Bethany abrió la boca, perpleja.

–¿Quieres decir...? Pero me fui de aquí hace tres años.

–A las ocho en punto –repitió él.

Bethany no sabía por qué se sentía tan... desarmada. No sabía por qué pensaba que había conservado sus cosas por cariño; era absurdo porque sabía que eso era imposible. Leo no sentía cariño por nadie. No, seguramente habría olvidado librarse de su ropa... se habría olvidado de ella en cuanto se marchó.

Aun así, sintió un cosquilleo en el estómago.

Leo estaba demasiado cerca, a un paso de ella, y Bethany supo exactamente el momento en el que los dos se dieron cuenta de eso. El oxígeno pareció evaporarse de la habitación, sus ojos se volvieron más oscuros.

–No –murmuró. Pero era poco más que un susurro de deseo, de anhelo. No sabía qué era peor.

–¿Qué estás rechazando? –le preguntó Leo–. Yo no te he ofrecido nada.

«Aún». No lo había dicho, pero era la palabra que parecía estar entre ellos.

Bethany podía imaginar las manos de Leo sujetando su cara, su boca imposiblemente dura aplastando la de ella. Sabía exactamente cómo sería, lo que sentiría.

Pero sabía también que no debía dejar que la tocase. Y no debía confiar en sí misma estando tan cerca. Una vez que lo tocase de nuevo, ¿cómo iba a parar?

–Estoy aquí por una sola razón –le dijo, deseando dar un paso atrás pero temiendo que eso la hiciese parecer débil–. No estoy aquí para ponerme elegantes vestidos y acudir a cenas que no me apetecen. Y mucho menos para jugar a juegos de dormitorio contigo.

–¿Juegos de dormitorio? –repitió él, su voz como el chocolate, oscura y dulce–. Me siento intrigado. ¿A qué clase de juegos te refieres?

–Quiero el divorcio –dijo Bethany, que empezaba a desesperarse. Sólo tenía que mirarla de esa manera, como si pudiera leer sus pensamientos, y la hacía temblar–. Lo único que quiero es el divorcio. Es lo único que tengo en mente.

–Sí, ya me lo has dicho –asintió Leo, con esa voz que parecía conectar directamente con sus terminaciones nerviosas–. Repetidas veces.

No había magia, se dijo a sí misma. Él no era mágico. Era sólo que estaba de vuelta allí, en su habitación, en el castillo de los Di Marco, en Italia. No era su voz, no era él. Sólo era el pasado una vez más.

Si giraba la cabeza demasiado rápido, temía ver su propio fantasma y el de él unidos en la gruesa alfombra a sus pies, contra la puerta, en la cama. Siempre habían sido insaciables.

A medida que su matrimonio empeoraba, ésa había sido la única forma de comunicación entre ellos.

Pero esas dos personas eran fantasmas del pasado y ella sabía perfectamente lo que ese brillo en sus ojos quería decir.

–Siento mucho haber empezado a aburrirte. Una solución, por supuesto, sería quedarme en esta habitación hasta que empecemos a tramitar el divorcio. No tendrías por qué verme hasta entonces.

La sugerencia sonaba desesperada incluso a sus propios oídos, pero Leo se limitó a sonreír, una sonrisa que le provocó un escalofrío.

Sería demasiado fácil dar un paso adelante. Sabía que él la tomaría en sus brazos y se perdería por completo en el incendio que creaba con su boca...

Una parte de ella quería hacer eso, lo necesitaba

más que cualquier otra cosa. Incluso más que la libertad. Y eso la aterrorizaba.

Si lo tocaba, si ponía los labios sobre los suyos, se olvidaría del pasado, como si todo hubiera sido una pesadilla y él fuese la luz del día. ¿No era eso lo que había pasado cuando lo conoció?

Pero no sabía cómo lograría salir de esa pesadilla por segunda vez.

Y no podía estar rota de nuevo. Nunca más.

—No, eso no me gustaría —dijo él, mirando su boca—. Y tú lo sabes.

—No quiero que me toques —le advirtió Bethany entonces, asustada. Porque sabía sin la menor sombra de duda que no podía confiar en sí misma. Seguía deseándolo demasiado. Nerviosa, se mordió los labios, intentando recuperar la calma.

—¿Perdona?

—Ya me has oído. La química que hay entre nosotros es dañina, maligna... y sólo puede llevar a confusión.

—Yo no estoy confundido —dijo Leo.

—Yo no te deseo —afirmó Bethany—. En absoluto.

Esperaba que él protestase y no estaba preparada para el poder de su devastadora sonrisa. Pero Leo cruzó los brazos sobre el pecho y la miró casi con afecto y eso fue peor que cualquier ironía, que cualquier sarcasmo. Casi la hizo anhelar...

—Eres una mentirosa. Tú me deseas, siempre me has deseado y eso no cambiará nunca, por muchas mentiras que te cuentes a ti misma.

—Eres tan engreído —replicó ella, con el corazón latiendo a toda velocidad dentro de su pecho.

–Como yo te deseo a ti –siguió Leo, encogiéndose de hombros como si no tuviera importancia. Y sin duda no la tenía para él–. Es algo inconveniente tal vez, pero no hay nada peligroso en ello.

–Te estoy diciendo...

–No te preocupes –la interrumpió él–, no tengo la menor intención de seducirte. De hecho, no voy a tocarte mientras estés aquí.

Bethany lo miró, diciéndose a sí misma que eso era exactamente lo que había querido escuchar, que de ese modo todo sería más fácil, que era lo que quería. Aunque no podía ignorar por completo la sensación de vacío que la envolvió de repente, una sensación que la ahogaba.

–Me alegra oírlo –dijo por fin.

Los ojos de Leo parecían leer en su alma y le daba pánico lo que podría ver en ella.

–Lo dejaré a tu elección –siguió, con esa voz como el whisky que parecía calentarla por dentro.

–¿A qué te refieres?

–Si me deseas, tú vendrás a mí –sus profundos ojos oscuros la hipnotizaban–. Debes ser tú la que me toque, no de la otra forma.

–Estupendo –dijo ella, un pellizco en la voz traicionándola–. Porque no tengo ninguna intención de...

–Están tus intenciones y luego está la realidad –la interrumpió él–. No podrás estar alejada de mí, nunca has podido hacerlo. Pero prefieres fingir que la pasión que hay entre nosotros es algo que yo utilizo para controlarte. ¿No me lo dijiste una vez? ¿No dijiste que preferiría tenerte atada a la cama? Eso te hace sentir como una mártir y te gusta.

Bethany abrió la boca para replicar, pero se contuvo. No sabía qué pretendía, qué estaba haciendo o más bien qué estaba deliberadamente *no* haciendo.

–No soy ninguna mártir –le dijo. Y era cierto, se sentía incómoda y extraña en aquel sitio, como le había pasado siempre. Pero no tenía alma de mártir.

–Por supuesto que no –asintió Leo, burlón–. Pero eres una mentirosa y depende de ti demostrar que no lo eres.

–Yo no tengo que demostrar nada –replicó ella, airada.

–¿De verdad? –la retó Leo–. Porque yo podría demostrar que estás mintiendo.

Le había dicho otras veces que era una mentirosa y le parecía casi divertido que creyera eso porque no podía estar más lejos de la verdad. Le gustaría reírse, pero no encontraba su voz. Porque era cierto, estaba mintiendo en ese momento y ambos lo sabían.

–Las ocho en punto –repitió Leo, con evidente satisfacción–. No me obligues a venir a buscarte.

Luego salió de la habitación y la dejó allí, atónita, temblando y perdida de nuevo, tan perdida... como sin duda había planeado desde el principio.

Había olvidado tantas cosas, pensaba Bethany mientras recorría los silenciosos corredores del castillo unos minutos antes de las ocho.

No había esperado encontrar tantos recuerdos cuando se aventuró en el vestidor para buscar algo sencillo. No era como volver a casa exactamente y, sin embargo, cada vestido, cada bolso, cada par de zapatos había parecido susurrar una historia medio olvidada.

De repente lo había recordado todo, aquel pasado que debía mantener firmemente tras ella si quería escapar de Leo. Pero los recuerdos la envolvían de todas formas...

Una noche en la ópera de Milán, donde las gloriosas voces del tenor y la soprano palidecían comparadas con el fuego en los ojos de Leo. Un fin de semana en la villa de un amigo a las afueras de Roma, lleno de sol y de risas.

Y luego, poco después, una rara escena en público en una calle de Verona mientras iban a una cena, rápida, brutal y devastadora. Un momento apasionado en un puente de Venecia... el explosivo deseo que había entre ellos, a pesar del deterioro de su relación, la única manera de atravesar el muro de silencio y amargura que habían levantando.

Tantas imágenes, tantos recuerdos, todos ellos minando sus defensas, haciéndola sentir débil, pequeña, vulnerable.

Bethany se pasó una mano por las caderas para alisar la seda del vestido verde que caía hasta los pies, intentando calmarse. Aquella sencilla túnica era lo único que había encontrado en el vestidor que no le llevaba ningún recuerdo.

Pero no eran sólo los recuerdos lo que la ponía nerviosa. Mientras hablaba con Leo se había dado cuenta de que había olvidado quién era entonces. La mujer a la que él se había referido de manera desdeñosa, la que se había comportado de manera tan infantil y que, recordó sintiéndose mortificada, más de una vez había destrozado un jarrón de porcelana contra la pared, ya no era ella.

Y se le encogía el estómago al recordarlo. Pensar cómo debía de verla cuando la miraba... pensar que ella recordaba la soledad y el aislamiento mientras Leo sólo recordaba sus peleas...

Fue la última noche lo que la había cambiado, pensó mientras bajaba la escalinata de piedra que dominaba el vestíbulo.

La última noche. Era como si algo se hubiera roto dentro de ella, como si se hubiera visto enfrentada con su temperamento, con sus propias pasiones. Pero esa fiera parte de sí misma, esa chica salvaje, violenta y loca había desaparecido.

¿Para siempre?, se preguntó.

O tal vez era Leo quien despertaba a esa mujer, pensó luego. Tal vez él era la cerilla que encendía el volcán porque jamás se había comportado así con otra persona.

–Estoy sorprendido –oyó su voz, como si lo hubiera conjurado al pensar en él.

Bethany giró la cabeza y lo encontró al pie de la escalera, sus ojos castaños insondables.

–¿Por qué?

–Pensé que no me harías caso y bajarías en vaqueros a cenar. O que tendría que subir a buscarte a la habitación.

Y Bethany sabía que una parte de él habría deseado hacerlo porque una parte de ella deseaba lo mismo.

–Como he intentado explicarte antes –le dijo, intentando sonreír aunque no estaba segura de haberlo logrado–, ya no me conoces.

–Seguro que tienes razón –asintió Leo.

Y algo en su tono hizo que se preguntase qué había querido decir.

Era tan injusto que él fuese quien era, pensó con desesperación mientras seguía bajando escalones.

Los muros estaban cubiertos de pesados tapices y magníficos retratos de sus antepasados. Cada paso que daba era una oportunidad de ver las facciones de Leo en esos cuadros: los altos pómulos, los labios gruesos, los ojos brillantes. Su altura, su aspecto masculino, su espeso y lustroso pelo oscuro, todo eso era tanto un legado como el castillo o el título.

Y no era sólo el producto de tan elegante y aristocrático linaje, era la obra maestra. Esa noche llevaba un traje de chaqueta que sin duda un sastre le habría hecho a medida en Milán y la tela de color gris oscuro parecía moverse con él. Era un sueño hecho realidad, cada centímetro de él un príncipe devastadoramente atractivo. Lo llevaba en el ADN.

¿Cómo podía explicarle a aquel hombre lo que era sentirse aislada, sola? Él nunca estaba solo. Tenía sirvientes, criados, secretarios, guardaespaldas, empleados. Y si no tuviera eso, tendría ocho siglos de historia familiar documentada para hacerle compañía. Siempre estaba rodeado de gente, de una manera o de otra.

Bethany sólo había tenido a su padre desde que era pequeña y luego a Leo. Pero lo había perdido poco después de su boda y eso la había roto de una forma que él, que siempre había tenido gente alrededor, jamás entendería. Y no podía dejar que ocurriera por segunda vez o desaparecería por completo, se perdería a sí misma.

–¿Por qué frunces el ceño? –le preguntó Leo, su mirada desconcertantemente incisiva.

–No me había dado cuenta –murmuró Bethany mientras llegaba al último escalón–. Estaba pensando en todos estos retratos. Me preguntaba cuándo colgarías el tuyo.

–El día que cumpla cuarenta años –respondió él, levantando una ceja–. ¿Tienes algún artista en mente? Tal vez tu amante sea pintor. Qué encargo tan interesante, ¿no?

Bethany respiró profundamente, decidida a no dejar que sus sarcasmos la afectasen, decidida a no reaccionar como Leo esperaba. Al fin y al cabo, había sido ella quien le habló de un amante que no existía y tenía suerte de que él hubiera decidido mostrarse sarcástico.

De modo que se obligó a sí misma a sonreír, fingiendo que no pasaba nada.

–Debe de ser muy raro crecer bajo la mirada atenta de gente que se parece tanto a ti. No has tenido que preguntarte nunca cómo serías de mayor o qué harías con tu vida porque estaba claro desde el principio.

Bethany miró uno de los cuadros, un retrato de Giotto de uno de los primeros príncipes Di Marco, que parecía una versión más bajita y oronda del hombre que tenía delante.

–Yo soy la historia de mi familia –dijo Leo, con cierto orgullo–. No sería quien soy de no ser así.

Hablaba con tono seco, como si esperase que ella lo contradijera. ¿Lo habría hecho alguna vez? se preguntó Bethany entonces. ¿Habría discutido con él sólo por discutir? ¿O era entonces demasiado joven para entender cómo el pasado de alguien podía moldear su personalidad?

Y se preguntó si algún día pensaría en su complicada relación con Leo di Marco sin ira y sin dolor.

–Imagino que viviendo aquí tiene que ser así –asintió por fin.

Le pareció ver un extraño brillo en sus ojos, como si él estuviera pensando lo mismo. Pero no, tenía que ser cosa de su imaginación.

–La cena espera –dijo Leo entonces–. Si has terminado de admirar a mis ancestros...

El castillo le parecía inmenso y aterrador mientras caminaban uno al lado del otro, las lámparas de araña de los altos techos mostrando la belleza de las habitaciones.

–¿Cenaremos solos? –le preguntó–. Por cierto, ¿dónde están tus primos? No los he visto.

–Ya no viven aquí.

–¿Ah, no? –murmuró Bethany. Tan amable cuando no tenía nada amable que decir sobre los desdeñosos primos de Leo. Se había alegrado tanto al conocerlos. Como hija única, había pensado que sería maravilloso vivir con una «familia»–. Pensé que nunca se marcharían de aquí.

Leo giró la cabeza, su mirada seria mientras recorrían una galería llena de cuadros. Se dirigían a un comedor en la zona reformada del castillo que, desde el siglo XVIII, se abría a una terraza con una fabulosa vista del valle.

–No tuvieron alternativa –dijo, con cierta tensión. Casi como si por fin hubiera entendido lo que ella había intentado decirle entonces. Casi como si...

Bethany apartó la mirada.

La cruel y hermosa Giovanna y su arrogante hermano Vincentio habían detestado a la flamante esposa de Leo desde el primer día. Y ninguno de los dos había tenido el menor reparo en demostrarlo. El noble linaje ensuciado, el apellido familiar mezclado con el de una extraña, una extranjera.

Leo no había permitido que dijera una sola palabra contra ellos en el año y medio que vivieron juntos, a pesar de que habían convertido su vida en un infierno. ¿Y ahora ya no vivían en el castillo?

Temía especular sobre lo que eso podía significar, temía hacerse ilusiones de que Leo hubiera querido castigarlos. No, era absurdo, no debía albergar esperanza alguna.

Leo la llevó al comedor principal del castillo, equipado para servir a una multitud de invitados. Un sitio fabuloso, con sus frescos en el techo y sus ventanales.

Pero no iban a cenar allí. Bethany vio que habían puesto la mesa fuera, en el jardín, frente al valle de Felici. La noche olía a los cipreses y rododendros, a las azaleas y las glicinias.

Sabía que el vino sería de los viñedos Di Marco, con cuerpo, sabroso. Las aceitunas de los olivos de su propiedad, el pan recién hecho seguramente esa misma tarde en las cocinas del castillo.

En el centro de la mesa, una bandeja con un engañosamente sencillo pollo asado, fragante de romero y otras especias que Bethany no conocía, flanqueado por platos de verduras frescas y *risotto* con setas. La luz de las velas se movía con la brisa, creando una invitadora escena.

Bethany tragó saliva mientras se sentaba en la silla que Leo había apartado para ella, sintiendo una punzada de algo parecido a la nostalgia.

–Es un sitio muy romántico –comentó, como si estuviera hablando del tiempo.

¿Por qué la torturaba así? ¿Para qué había organizado una cena a la luz de las velas cuando ya no había nada entre ellos?

–¿Por qué no?

–No me parece apropiado. Estoy aquí para tramitar el divorcio, Leo. No lo olvides.

Leo no respondió inmediatamente. Bethany parecía tensa, sentada al borde de la silla, como a punto de salir corriendo en cualquier momento. Como si fuera a romperse como un frágil cristal.

¿Un frágil cristal? No sabía por qué había pensado eso.

La Bethany que él conocía era caprichosa, voluble. No se rompía, se doblaba hasta convertirse en alguien diferente... haciendo lo mismo con él. No sabía qué hacer con aquella nueva Bethany, una Bethany cuyo temperamento no podía predecir.

Y no estaba seguro de lo que sentía por ella.

Leo sirvió dos copas de un vino aromático tinto.

–¿No podemos disfrutar de la compañía sean cuales sean las circunstancias? ¿De verdad nos hemos alejado tanto el uno del otro?

Notó que ella se había puesto colorada, el verde del vestido destacando su rubor. Le gustaría alargar la mano para tocar sus rizos sujetos en un moño alto, pero se contuvo. Cuando daba su palabra, siempre la cumplía.

Costase lo que costase.

—Son preguntas como ésa lo que hace que me cuestione tus motivos.

Leo empezaba a preguntarse por qué estaba tan decidida a divorciarse de él y por qué se negaba incluso a discutirlo. Era casi como si temiera que la convenciese para no hacerlo. Algo que, por supuesto, haría.

Pero hablasen o no, no habría divorcio.

Leo se preguntó por qué no lo anunciaba sencillamente para terminar con el suspense. Tres años antes lo habría hecho sin dudar un momento.

¿Era debilidad por su parte dejar que esa situación se alargase? ¿Que se sintiera intrigado a pesar de sí mismo por esa nueva Bethany? Su regreso, su inseguridad, la evidente respuesta a su proximidad que intentaba disimular sin éxito... todo eso lo fascinaba.

Pero no quería hundirla con esa verdad, que Bethany encontraría insoportable. Antes quería saber qué había entre ellos.

No quería investigar por qué. No quería mirar demasiado de cerca lo que parecía una indulgencia excesiva.

Pero empezaba a darse cuenta de lo que había hecho al prometer que no la tocaría. Tal vez no era Bethany la única que estaba escondiendo su explosiva pasión. Tal vez también él lo estaba haciendo.

Llegarían al mismo destino, pero esta vez lo harían con los ojos abiertos. Ésa era la única manera de asegurar que no hubiera más años de separación, no más charlas sobre un divorcio que no iba a tener lugar.

Y cuanto más tiempo pasara, más fácil sería convencer a Bethany.

—Estás tan convencida de ese divorcio —dijo un momento después, tomando una aceituna del cuenco—. ¿No crees que antes deberíamos discutir nuestro matrimonio?

Ella lo miró con cara de sorpresa, como si estuviera siendo poco razonable.

—¿Quieres hablar de nuestro matrimonio? —le preguntó—. ¿Tú, Leopoldo di Marco, quieres hablar? ¿Ahora, después de todo este tiempo?

Le pareció ver un brillo de dolor en sus asombrosos ojos azules pero no podía ser... ¿o sí?

En cualquier caso, desapareció de inmediato, escondido una vez más bajo esa nueva armadura suya que tanto lo sorprendía.

—¿Por qué no?

Bethany hizo una mueca.

—Eso es el pasado, Leo. Es demasiado tarde para hablar, imagino que hasta tú te darás cuenta.

—Han pasado tres años desde que te fuiste —dijo él, con aparente calma—. Imagino que es tiempo suficiente para ver las cosas con cierta perspectiva.

—¿Por qué remover viejas heridas? No entiendo el propósito, sinceramente. ¿Qué conseguiríamos con eso? Nuestras cicatrices son nuestras cicatrices. ¿Qué quieres, compararlas?

Leo la miró fijamente. Le parecía una extraña, cuando una vez había pensado conocer todos sus secretos.

Quería consolarla y no entendía por qué. El deseo de su cuerpo, esa adictiva pasión que había entre ellos, eso lo entendía perfectamente. ¿Pero por qué quería borrar la sombra de sus ojos? ¿Por qué anhelaba verla sonreír? Debería concentrarse en sus deberes, en sus obligaciones como princesa Di Felici; el resto, esos deseos absurdos, llevaban a sitios dentro de sí mismo que no quería visitar, que había escondido mucho tiempo atrás.

No podía tirar esos muros como había hecho cuando la conoció en Hawái. Y, sin embargo, no parecía capaz de contenerse.

–Has vuelto tras una larga ausencia –dijo por fin.

Bethany se movió en la silla, incómoda.

–No he vuelto exactamente. De hecho, muy pronto será como si nunca hubiera estado aquí.

–Si eso es lo que quieres...

Los dos se quedaron en silencio, con los sonidos de la noche por toda compañía y la sensación de cambio como una promesa en el aire.

Leo quería conocer sus secretos y apartar el fantasma de aquella mujer, que lo perseguía incluso en aquel momento, estando a su lado.

Quería tocarla, pero no lo hizo.

No podía hacerlo.

No se lo permitiría a sí mismo porque aquello se parecía demasiado a lo que había sentido en Hawái, cuando se enamoró de ella. Y había jurado no volver a dejarse llevar por esa debilidad. Ni siquiera por Bethany.

Capítulo 6

QUIERO muchas cosas –dijo Bethany, empujada por una extraña sensación de poder que la hacía sentirse temeraria y la tentaba a olvidar–. Pero por fin soy lo bastante madura como para entender que no todo lo que quiero es bueno para mí.

Si esperaba que sonriera o mostrase su asentimiento se llevó una desilusión porque Leo se limitó a mirarla un momento antes de sacudir la cabeza.

–¿Debo entender que nuestro matrimonio no es bueno para ti? ¿Es malo para tu salud quizá?

Aquél era el Leo más condescendiente y le recordaba la razón por la que estaba allí; no para entender qué había ocurrido entre ellos, sino para dejarlo atrás de una vez por todas.

Irritada consigo misma por ese momento de sinceridad, Bethany decidió limitarse a comer. Al menos sabía que todo lo que le ofrecieran allí sería de la mejor calidad. Nada menos que eso sería tolerable, de modo que probó el pollo y no pudo evitar servirse un poco de *risotto*.

–¿No respondes? –dijo Leo entonces–. Claro que no me sorprende.

Bethany irguió los hombros, respirando profundamente para calmarse.

–En realidad, lo he pensado mucho. Creo que cuando un matrimonio degrada a una persona...

Él la interrumpió con una carcajada.

–Qué palabra tan fuerte. ¿Te sientes degradada, Bethany? ¿Yo te hago sentir así? –Leo sacudió la cabeza como si lo hubiera acusado de un terrible crimen, como si no fuera la verdad.

–Eras tú quien quería hablar de ello –le recordó Bethany–. Deberías haber dejado claro que querías que la discusión fuera en tus términos, como siempre. No necesito tu desdén, ya no me impresiona.

–Lo que me gustaría saber es la verdad –dijo él entonces, poniéndose serio de nuevo–. Porque la verdad es que tú no eres la víctima de esta historia. El hecho de que te hayas colocado a ti misma en ese papel es un ejemplo más de tu infantil comportamiento.

–Estás demostrando que tengo razón –replicó ella, incapaz de controlar un ligero temblor en su voz.

Leo la estudió, en silencio, y Bethany sintió que le ardía la cara. De rabia, se dijo a sí misma. No era más que eso. No quería pensar en el contradictorio deseo de llegar a él, de salvar ese puente costase lo que costase.

–Tal vez eres demasiado frágil para enfrentarte con la realidad.

Bethany dejó el tenedor sobre el plato, incapaz de seguir disfrutando de la cena por excelente que fuera.

–¿Quién eres tú para decirme quién soy o dejo de ser cuando eres la persona que menos me conoce? –le espetó, apretando los puños bajo la mesa donde

Leo no podía verlos. Había anhelado que la conociera, que la viera, durante años, pero no había sido así.

–Te conozco –dijo él, con esa terrible firmeza suya–. Te conozco como no te conoce nadie más.

–Si eso fue cierto alguna vez, ya no lo es –replicó ella, eligiendo sus palabras cuidadosamente. Intentando ignorar la parte que anhelaba desesperadamente que la conociera como decía conocerla.

–A ver si lo adivino –empezó a decir Leo, con voz de hielo–. Sin duda, has pasado los últimos tres años inventando una fantasía perfecta con la que comparar nuestra relación. Y, sin duda, ese fabuloso amante te ayuda mucho. Cualquier cosa para evitar mirarte a ti misma con honestidad.

Eso la enfureció y, por una vez, no se le ocurría ninguna razón para esconderlo. Se decía a sí misma que no tenía nada que perder, que todo estaba perdido ya. Aqué era un baile sin sentido alrededor de la hoguera de lo que había sido su matrimonio. Una oportunidad de ver cómo todo se convertía en cenizas.

¿Por qué morderse la lengua?

–No creo que un matrimonio deba ser una monarquía absolutista, contigo instalado como rey y los demás como súbditos –le espetó–. Eso no es un matrimonio y yo estoy cansada de que me trates como si fuera tu sirvienta o una niña que no tiene opinión propia.

Se miraron a los ojos, en silencio. La expresión de Leo era helada.

Bethany notaba una ligera brisa acariciando su

piel, veía las llamas de las velas moviéndose. No estaba conteniendo el aliento, pero tenía la sensación de estar viendo la escena desde arriba, como si ella no estuviese participando.

Nunca se había atrevido a hablarle así. ¿Cómo iba a hacerlo? Su relación había estado basada en la superioridad de su marido y su propio comportamiento había empeorado la situación. ¿Quién iba a escuchar a una maníaca que rompía cosas y tenía pataletas porque no sabía de qué otro modo expresar su frustración? Desde luego, Leo no iba a hacerlo.

Ni siquiera ella misma, tuvo que reconocer Bethany con tristeza.

–Dices unas cosas extraordinarias –murmuró él, con total frialdad.

Porque Leo no explotaba, Leo no discutía, gritaba o rompía cosas. Leo no sentía nada.

–Entiendo que ése debe de ser un concepto extraño para alguien que ha estado dando órdenes desde la cuna –dijo Bethany–. Para alguien que tiene cuadros de valor incalculable de sus antecesores, que vive en un castillo...

–Estás equivocada sobre mí –la interrumpió él–. Me sorprende que creas saber lo que yo considero un buen matrimonio. Las relaciones de verdad no tienen nada que ver con tu melodramático comportamiento, Bethany.

–Podría decir eso de «le dijo la sartén al cazo», pero imagino que sonaría demasiado plebeyo para ti –replicó ella, intentando bromear para no dejarse llevar por la emoción.

Leo apretó los labios, pero Bethany no se echó

atrás. Porque creyera él lo que creyera, estaba en lo cierto.

Leo la había dejado sola, tan sola.

–No era yo el que daba un ultimátum y cuando no se cumplían mis deseos montaba pataletas –le recordó él, con ojos llenos de condena–. No era yo quien testarudamente se ha negado a mantener contacto alguno en estos tres años.

–¡Cállate! –exclamó Bethany.

Sabía que había esperado todo ese tiempo para decirle esas cosas, sabía que no la había perdonado.

–Y tampoco fui yo quien exigió el divorcio sin antes molestarse en saludar, como cualquiera saludaría a un extraño –siguió Leo, con los ojos brillantes. Estaba más furioso de lo que Bethany había imaginado, más enfadado que nunca. ¿Era absurdo creer que eso podría significar algo?, se preguntó–. Y después de todo eso, no soy yo el que está aquí dando lecciones sobre el matrimonio.

Bethany quería gritarle, protestar por lo que había dicho, ¿pero de qué serviría? Era cierto que había hecho todo eso. ¿Pero no se daba cuenta de que era él quien la obligaba a hacerlo? ¿No sabía que él la había empujado a marcharse de allí por temor a convertirse en una cáscara vacía, en una sombra de ser humano?

–Yo siempre he estado aquí, Bethany –siguió–. Aquí mismo, esperando que volvieras si algún día te molestabas en recordar tus obligaciones.

–No entiendo cómo podías esperar que volviese...

Pero no terminó la frase. ¿Para qué? ¿Cómo iba a esperar que él viera las cosas con cierta perspectiva?

Leo sólo veía que lo había abandonado. Nunca reconocería que era él quien la había abandonado a ella mientras estaban casados porque no la había dejado físicamente. Sólo había desaparecido en todos los demás sentidos. Y, sin embargo, seguía considerando que era él quien llevaba la razón en esa pelea interminable.

—Esperaba que cumplieras tus promesas —siguió, su voz cargada de ironía—. Porque me diste tu palabra.

Bethany desearía negar esa condena, pero temía que eso no fuera lo que quería de verdad. Que en realidad sólo quería ver que sus ojos oscuros brillaban de nuevo como habían brillado una vez, al principio de su relación. Y no podía ir por ese camino, ya no.

—Tú también me diste tu palabra —le recordó—. Pero eso no evitó que...

—¿Te engañé con otra mujer? —la interrumpió él—. ¿Te humillaba, te insultaba? ¿No atendía todas tus necesidades? —Leo señaló alrededor—. ¿Mi casa no es lo bastante grande para ti? ¿No te gusta el campo? ¿Habrías preferido una casa en Milán? ¿Exactamente cuál es la raíz de esa amargura tuya, de esa hostilidad? ¿Qué era tan terrible que me castigaste de la única manera que sabías, huyendo de mí?

Bethany no podía respirar y cuando por fin pudo hacerlo tuvo que luchar contra las lágrimas. ¿Era así como la veía, como una cría rencorosa?

Supo entonces con total certeza que así era. Leo no veía nada más porque no quería ver nada más. Creía que lo había dejado por capricho, que no tenía ninguna razón para hacerlo.

–No puedo imaginar por qué quisiste casarte conmigo –consiguió decir, temblando como una hoja.

–Porque te deseaba –murmuró Leo. Su voz era demasiado ronca, cargada de demasiadas cosas. Y hablaba de todos los pecados que Bethany no quería recordar, todos los que él le había enseñado. Sus ojos estaban encendidos, su expresión seria. Había algo en ellos más doloroso que simple cansancio–. Parece que nada de lo que hagas puede impedir que te desee... y lo has puesto a prueba muchas veces.

No se movía y, sin embargo, parecía estar en todas partes. Bethany había olvidado lo peligroso que era estar cerca de él, hablar con él, dejar que tejiera su tela a su alrededor otra vez.

Su corazón latía con tal fuerza que golpeaba sus costillas y sentía como si todo su cuerpo estuviera preparándose para sus caricias.

Daba igual cuánto le doliera su falta de amor. Seguía deseándolo, siempre lo desearía.

Angustiada, se levantó de la silla. Sólo conocía una manera de escapar y tenía que poner distancia entre ellos porque Leo podía haber hecho la promesa de no tocarla, pero sabía muy bien que era en ella misma en quien no podía confiar.

Se dirigió a la puerta que daba al comedor, sabiendo que Leo la había seguido. No tenía que volverse para confirmarlo.

Se detuvo con la mano en el antiguo picaporte de hierro, sintiendo su calor en la espalda, tan cerca que podía oler su colonia, tan cerca que, si daba un paso, estaría entre sus brazos.

–¡Me lo prometiste! –exclamó, desesperada por salir corriendo y, sin embargo, clavada al suelo.

Leo había sido su hombre, su familia, su amor. Y aún no sabía cómo olvidar todo eso para siempre.

–Dijiste que no ibas a...

–¿Estoy tocándote? –la interrumpió él, con ese tono tan suave que la reducía a una masa de deseo.

Bethany se volvió antes de que se le doblasen las rodillas para apoyarse en la puerta, con Leo frente a ella, tan poderoso como el castillo en el que estaban.

Él apoyó las manos a cada lado de su cara e inclinó la cabeza. Y aunque podía sentirlo en cada parte de su cuerpo, en sus pechos, en su tenso vientre, en su ardiente feminidad, no la tocó. Mantuvo su promesa. Se limitaba a mirarla, sus ojos cargados de una pasión que conocía bien.

–No puedo dejar de desearte. Y te aseguro que lo he intentado. Permanezco despierto por las noches, maldiciendo tu nombre y, sin embargo, aquí estoy, como si no hubiera ocurrido nada entre nosotros. Como si no lleváramos tres años separados, como si no me hubieras pedido el divorcio.

–Leo... –empezó a decir ella.

Pero no parecía capaz de formar más palabra que su nombre. Aún sabiendo que debería cortar ese momento, fuera lo que fuera.

No debería permitir que dijera esas cosas que la obligaban a recordar, a anhelar...

Pero lo único que podía hacer era mirarlo a los ojos y esperar que no notase los frenéticos latidos de su corazón.

–Te has metido bajo mi piel –susurró Leo, como

si le costara un mundo decirlo–. Eres como un veneno. No puedes matarme, pero tampoco puedo li-
brarme de ti.

Había dicho demasiado, pensó Leo. Y, sin embargo, no dio un paso atrás.

No parecía capaz de hacer que su cuerpo le obe-
deciera cuando Bethany estaba tan cerca. Tanto que
podía respirar ese aroma único de ella, a lavanda y
vainilla, su propio y único perfume.

Podía contar las pecas que tenía en la nariz y ver
el lunar en su clavícula. Pudo sentir cuándo sus res-
piraciones empezaron a ir al unísono... sus cuerpos
parecían insistir en sincronizarse aunque ellos estuvieran en guerra.

Tan cerca de ella, no podía recordar por qué.

–Tú...

Leo miró, fascinado, cómo se mordía los labios.

–¿Qué?

–Tienes que dejarme ir.

–¿Cuántas veces tengo que hacerlo? –se oyó susurrar a sí mismo. Y en esas palabras escuchó emociones que no quería reconocer. Y aun así, no se apartó.

–Dices que me deseas –murmuró Bethany, sus
ojos azules más brillantes que nunca.

–Como tú me deseas a mí. Lo noto, puedo sentirlo.

–Sólo me deseas si puedes tenerme como te con-
venga –dijo ella por fin–. Si me comporto, si me
conformo. Si actúo según tus reglas, me tratas como

a una reina, pero sigo bajo tus órdenes, encerrada en una jaula que tú has creado para mí.

–Confundes una jaula con una cama –replicó él.

No podía creer que hubiera hecho la absurda promesa de no tocarla y mucho menos que pensara cumplirla, ahora que estaba tan excitado que le dolía.

–Contigo, a menudo es la misma cosa.

Por mucho que Leo deseara enterrarse en ella, no pudo dejar de notar el tono de reproche. Echó un poco la cabeza hacia atrás para mirarla, fijándose en la decidida línea de sus labios, en el brillo de sus ojos.

–Sólo estoy diciendo la verdad –siguió Bethany–. Tú fuiste tan responsable como yo por lo que pasó en nuestro matrimonio. Pero supongo que es más fácil culparme a mí, claro.

–Te busqué durante tres largos años, pero nunca estabas donde deberías estar. Dime qué podía hacer... ¿suplicar? ¿Llorar?

–¿Por qué no si es lo que sentías?

–Yo no soy como tú –susurró Leo–. No puedo mostrar mis emociones.

–¿No puedes o no quieres? –Bethany se movió entonces, sólo un centímetro, pero sin querer rozó su brazo en el hombro.

Los dos se quedaron inmóviles, concentrados en ese roce. Leo la vio tragar saliva, la larga columna de su cuello suplicando su boca, su lengua, sus dientes...

–Dime que te toque –le ordenó con voz ronca, su historia olvidada de momento–. Dime que tome tu cara entre las manos. Dime que te bese.

Bethany abrió los labios... y Leo podía sentir el ambiente cargado de electricidad.

–Dime... –siguió, acercando la boca al lóbulo de su oreja, tan cerca–. Dime que te tome entre mis bazos y te haga mía una y otra vez hasta que no recuerdes tu nombre o el mío. O por qué te marchaste.

Bethany había estado a punto de rendirse... hasta que escuchó esa frase.

Un escalofrío le dio fuerzas para abrir los ojos y recordar por qué estaba allí. Por qué no podía rendirse a la pasión que sentía por aquel hombre cuando todas las células de su cuerpo le urgían a que lo hiciera.

Ya no.

–Creo que es hora de irnos a dormir –le dijo, eligiendo sus palabras con mucho cuidado–. El viaje me ha dejado agotada.

Él murmuró algo en italiano, algo que no entendió pero no hacía falta. Podía sentirlo entre sus piernas, en su vientre, haciéndola temblar de arriba abajo. Pero no lo miró. Sabía que mirarlo a los ojos sería su fin.

–Si eso es lo que quieres... –murmuró Leo, dando un paso atrás.

Cuando se apartó de su lado, la brisa nocturna le pareció fría, helada.

Leo estaba a un metro de ella, su rostro en sombras aunque veía el brillo de sus ojos.

–Nos vemos por la mañana –le dijo, con absurda e innecesaria cortesía.

Él arqueó una ceja, burlón, pero Bethany, sin esperar una réplica, prácticamente corrió hacia el interior del castillo.

De nuevo, huía de él. Tenía la impresión de que llevaba toda su vida huyendo de aquel hombre. ¿Tenía razón para acusarla como lo había hecho? ¿Sería culpa suya todo lo que había ido mal en su matrimonio?

Bethany recorría los pasillos como si la persiguiera, aunque sabía que no iría tras ella. Ya no. Cerró la puerta de su habitación y ni siquiera miró la otra puerta, la que conectaba con la habitación de Leo.

No quería pensar en ella o en lo sencillo que sería abrirla y sucumbir a los deseos de su cuerpo. Sería tan fácil, tan increíblemente fácil. Mucho más fácil que esas conversaciones que abrían heridas que ella había querido cerrar para siempre.

Suspirando, se quitó el vestido y se puso el cómodo pijama que había llevado en la maleta. Luego se lavó la cara hasta que no quedaba ni gota de maquillaje y se metió en la cama.

Era tan suave y tan invitadora como recordaba. Allí no había sitio para sueños aterradores ni para lágrimas de desesperación, pero no pudo conciliar el sueño durante muchas horas.

Capítulo 7

LEO estaba esperando en el comedor cuando Bethany entró por la mañana, aún mareada por la falta de sueño. Parecía bañado por la luz del sol que entraba por los ventanales, rodeado por un halo dorado aunque parecía distante y frío en la cabecera de la mesa.

Levantó la mirada al oír sus pasos, frío y remoto, en directo contraste con la cálida luz dorada a su alrededor.

Bethany sabía perfectamente que estaba retándola y ese reto fue como una descarga eléctrica en su vientre, entre sus piernas.

De alguna forma, consiguió no tambalearse sobre las sandalias de cuña que, tontamente, había decidido ponerse esa mañana. Podía sentir su mirada clavada en ella y tenía que hacer un esfuerzo para respirar con normalidad.

Sin decir nada, dejó que un criado apartase una silla para ella, una absurda formalidad para alguien que pronto se habría divorciado del príncipe. La habitación estaba bañada de luz y parecía llena de promesas, desde los frescos del techo a los cuadros que decoraban las paredes.

Podía sentir más que ver las largas piernas de Leo bajo la mesa, demasiado cerca de las suyas, y deseó que la mesa fuera más grande o, al menos, estar un poco alejada de él para no rozarlo.

Incluso ahora, cuando había jurado empezar de nuevo por la mañana. Cuando había jurado no dejarse afectar por él.

—Buenos días —dijo Leo por fin, con cierto tono burlón.

Y Bethany, que estaba colocando la servilleta sobre sus rodillas, levantó la mirada para demostrarle que no iba a inquietarla, que no estaba asustada.

—Buenos días...

Se quedó helada al mirar sus ojos. Los apasionados sueños que la habían hecho dar vueltas y vueltas en la cama por la noche, atormentándola, parecían estar en esos ojos oscuros.

No sólo la miraba, estaba devorándola.

Era como si estuviera tocándola, como si hubiera tirado de su brazo para sentarla en sus rodillas y, por fin, aplastar sus labios. Cuando lo único que había hecho era darle los buenos días y mirarla con un brillo de satisfacción masculina en los ojos.

No había que ser un genio para saber lo que estaba pensando, para saber que sospechaba que la noche había sido una tortura para ella. Leo sabía muy bien lo que le hacía, lo que sentía.

Lo sabía.

—Lo único que tienes que hacer es tocarme —dijo Leo entonces, con voz ronca, como si su propio deseo lo ahogase—. Sería tan poco, Bethany. Sólo tienes que tocar mi mano. Sólo...

–Leo, por favor –lo interrumpió ella–. Lo único que quiero ahora mismo es un café.

–Ah, claro, un café –murmuró él, sarcástico–. Mis disculpas.

No tenía que llamarla mentirosa, estaba allí, colgando entre ellos.

Bethany miró su plato mientras el criado le servía el desayuno: una taza de café y una tostada con mantequilla y mermelada. No quería ni pensar qué significaba que el servicio siguiera recordando lo que tomaba. O Leo tal vez.

En lugar de eso, intentó controlar el temblor de sus manos mientras levantaba la taza. Sólo después de tomar el primer trago de reconfortante café pudo volver a mirarlo.

Leo había dejado el periódico sobre la mesa y estaba reclinado en la silla, mirándola. Parecía un príncipe, un magnate, el emperador coronado de su vasto imperio.

Llevaba otro traje de chaqueta, tan perfecto como siempre, la tela gris acariciando sus hombros. Estaba recién afeitado y duchado, el pelo brillante casi suplicando que lo tocase. Era como un sueño hecho realidad. Su sueño, específicamente. El explícito sueño que la había torturado por la noche.

Pero no podía hacerlo, por mucho que lo deseara. No podía entrar en esa trampa de nuevo cuando sabía muy bien lo dura que sería la caída.

–Tengo que ir a Sídney –dijo Leo entonces–. Hay que solucionar un asunto urgente y sólo puedo hacerlo yo.

–¿Te vas a Australia? –exclamó Bethany, sorprendida–. ¿Hoy mismo?

–Tengo intereses en algunos hoteles de allí y estamos en medio de una delicada negociación –Leo se encogió de hombros–. No esperaba tener que ir personalmente, pero debo hacerlo.

Siempre había algo, alguien que requería su atención. Un día aquí, otro allá, una semana en otro país. Siempre en el último minuto. Siempre innegociable.

–¿Cuánto tiempo estarás allí? –le preguntó, tomando un trozo de tostada para llevársela a la boca. Pero enseguida volvió a dejarlo en el plato, incapaz de comer nada.

–No lo sé, pero no creo que sean muchos días.

–Y eso, si no recuerdo mal, puede significar cualquier cosa, desde un día a dos semanas –replicó Bethany–. ¿Un mes tal vez? ¿Seis semanas? ¿Quién puede decirlo? Debes cumplir con tu deber, claro.

Él se limitó a levantar una ceja, su expresión inescrutable. Pero después le hizo un gesto al criado para que los dejase solos, como había hecho tantas veces para evitar que los empleados presenciaran alguna de sus interminables discusiones.

Bethany apretó los dientes, la tensión que siempre había entre ellos ahogándola.

–Veo que esto es un problema para ti.

Leo solía decir esas cosas. «Un problema para ti» significaba que, como siempre, una histérica como ella encontraría algún problema en que su marido tuviera que viajar continuamente.

Pero no le daría la satisfacción de discutir.

–¿Por qué estoy aquí si vas a marcharte? –le preguntó, con calma–. ¿Lo tenías planeado?

–Es un viaje de negocios. Sé que tú sueles imaginar complós y conspiraciones donde no las hay, pero sólo es un viaje de negocios.

Bethany se levantó, las patas de la silla rechinando contra el suelo.

–Pues si tienes que marcharte, tal vez lo mejor sea que yo vuelva a Toronto –le dijo, furiosa porque, de nuevo, Leo ponía su trabajo y su título por delante de su esposa.

–No puedo controlarlo todo. Preferiría no tener que marcharme, pero he de hacerlo. ¿Qué quieres que haga, que pierda millones porque a ti te molesta que tenga que viajar?

Bethany tuvo que luchar contra una oleada de furia ciega. Y no le importó que viera que tenía los puños apretados. Quería ponerse a gritar, quería llegar a él de algún modo, quería que se sintiera tan pequeño como él la hacía sentir.

Pero eso sería rebajarse y no pensaba volver a hacerlo nunca más.

–Entiendo que te gusta hablarme de ese modo –le dijo por fin–. Incluso tiene sentido. ¿Cómo vas a hablarme como a una igual, tú, el príncipe Di Felici? Eso no puede ser. Es mucho mejor manipular la situación, manipularme a mí para que me enfade.

–No puedes decirlo en serio. ¿Vas a acusarme de todo, soy yo el culpable de todo?

–Tú tienes que ser el paciente adulto mientras yo soy la niña que grita –replicó ella–. Pero todo esto no sirve de nada, la realidad es que me has traído a Italia para marcharte inmediatamente... una vez más. Y ya no soy la persona que era antes, Leo. No voy a gritar para que tú te sientas mejor.

–Lo único que he querido siempre es que te portases como debías hacerlo –dijo él, levantándose–. Pero parece que no he sido más que un segundo padre para ti.

Bethany experimentó una sorprendente oleada de dolor al recordar a su padre y otra, muy diferente, por las cosas que no sabía que quería cuando se casó con aquel hombre.

Las cosas que, sin darse cuenta, ella misma había consentido, como aquella dinámica desastrosa que parecía tragárselos.

–¿Y tu comportamiento?

–¿Qué tienes que reprocharme?

–Nunca has sido un marido, nunca un amante, siempre un padre. ¿Qué podía ser yo más que una niña? –Bethany sacudió la cabeza, asombrada–. Y luego quisiste que tuviéramos un hijo, cuando aún no habíamos sido capaces de entendernos como marido y mujer.

–Mi obligación es tener un heredero y tú lo sabías desde el principio. Nunca ha sido un secreto. Tú sabes muy bien cuál es mi obligación como príncipe Di Felici.

–No, claro, no olvidemos eso. No olvidemos ni por un momento que tu deber es lo primero. Todo lo demás no importa.

–¿Eso es lo que has aprendido en estos años, Bethany? ¿A culparme a mí y sólo a mí?

–No sé a quién culpar –admitió ella, el mar de emociones que intentaba contener tragándosela cada vez más–. Pero ya no importa. Los dos hemos pagado un precio muy alto por ese error, ¿no?

Cuando él no dijo nada, mirándola con igual medida de fuego y amargura, Bethany suspiró.

¿Su silencio no decía todo lo que tenía que decir? ¿No era ésa la trágica verdad de su matrimonio? Leo no hablaba con ella de las cosas que importaban de verdad y ella no quería escucharlo. Nunca podía llegar hasta él.

Le dolía ver la verdad a la luz de la mañana. Le dolía, pero se recuperaría de alguna forma. Haría algo más que sobrevivir.

–Ve a Sídney, Leo –dijo por fin–. Me da igual el tiempo que tardes en solucionar tus importantes asuntos. Estaré aquí cuando por fin te dignes a volver para terminar con esto de una vez.

Leo estaba furioso, un hecho que no escondió a sus ayudantes cuando fueron a buscarlo al aeropuerto de Sídney para llevarlo a una suntuosa suite en un hotel que ya no le importaba si era suyo o no. Había ido pensando en las palabras de Bethany desde Milán y no había llegado a una conclusión que lo hiciera sentir satisfecho.

Empezaba a pensar que nunca estaría satisfecho y eso era inaceptable.

La imagen que había pintado de su matrimonio lo enfurecía. ¿Quién era ella para acusarlo de tales cosas cuando sus propios pecados eran tan grandes? ¿Cuando era él quien se había quedado y ella quien había roto su matrimonio?

Pero su furia había ido disminuyendo a medida

que se alejaba de Italia. Porque no quería alejarse de ella, por mucho que lo sacase de quicio.

En parte, por el valor que había visto en su expresión mientras le decía esas cosas. No podía olvidar sus increíbles ojos azules, brillantes de bravura, su espalda recta, los labios apretados. ¿Tanta fuerza requería hablar con él? ¿De verdad era un monstruo para Bethany?

¿Qué decía eso de él?, se preguntó.

Pero Leo temía saberlo y no le gustaba nada hacerse recriminaciones.

Recordaba muy bien la voz de su padre retumbando por los pasillos del castillo... y a su madre con la cabeza baja, entristecida. Recordaba la expresión desdeñosa de su padre cuando se refería a ella cuando no estaba en la habitación y peor aún cuando sí estaba.

Leo no quería recordar nada de eso.

Pero era imposible no hacerlo. Él no era Domenico di Marco, ese hombre arrogante y cruel. Él nunca había querido asustar a una mujer y mucho menos a su esposa. Al contrario, había pasado toda su vida intentando no parecerse en absoluto a su padre.

Salvo...

Recordó entonces el brillo en los ojos de Bethany tres años antes. Su pena, su angustia. Entonces le había parecido irritante, inaceptable que pudiera estar tan triste cuando él le había dado tanto, pidiendo tan poco a cambio. Jamás se le había ocurrido pensar que pudiera tener alguna razón válida para sentirse así.

¡No tenía ninguna razón!, se dijo a sí mismo. Como no tenía razones para acusarlo ahora.

Más tarde, en una sala de juntas llena de asesores financieros que eran pagados para impresionarlo, Leo fingió escuchar una presentación, pero no era capaz de concentrarse en los números, en las diapositivas, en los análisis. Sólo podía pensar en Bethany.

«El matrimonio no debería ser una monarquía absolutista», la oía decir una y otra vez. «Estoy cansada de que me trates como si fuera tu sirvienta o una niña que no tiene opinión propia».

¿Sería cierto? El instinto le decía que no. Bethany diría cualquier cosa para hacerle daño. Quería ganar puntos, nada más.

Pero ya no podía creerlo del todo.

Si le hubiera gritado, si se hubiera puesto histérica como solía hacer tres años antes... era tan fácil ignorar lo que decía cuando estaba gritando o lanzándole piezas de porcelana como una niña con una pataleta. Pero la Bethany con la que se había enfrentado esa mañana no estaba gritando, aunque parecía visiblemente enfadada.

Había intentado contenerse en lugar de sucumbir a su temperamento. Aun así, había visto la derrota en sus ojos. Una vez más, la había decepcionado.

Y le gustaría que eso no se lo comiera por dentro, pero así era.

«Estoy encerrada en una jaula que tú has creado para mí».

Lo había acusado de ser una figura paterna en lugar de un marido, el adulto en la relación. Pero él nunca había querido eso... ¿no?

No había sido un marido, decía. Siempre un padre. ¿Y qué podía ser ella entonces más que una niña?

Leo experimentó un sentimiento de culpa que no quería aceptar... pero tuvo que reconocer que tres años antes no había querido escucharla, no se había molestado en intentar entenderla.

Sencillamente, la había dejado sin ir sin pensar que tal vez unos cuantos años de experiencia como *principessa* Di Felici habrían hecho maravillas para ella, una joven inexperta que no sabía nada de títulos nobiliarios o de obligaciones.

Estaba cansado de las peleas, del drama. Había querido convertirla en la esposa con la que había esperado casarse, con la que todo el mundo le decía que debía casarse el príncipe Di Felici. Había querido que cumpliera con sus obligaciones sin discutir.

¿Pero no era eso una jaula? La misma jaula en la que él había vivido toda su vida.

Después de la reunión, Leo tuvo que soportar una tediosa cena con sus socios, intentando mostrarse jovial aunque no se sentía así en absoluto.

Por fin, después de interminables rondas de champán y brindis que le parecieron ligeramente prematuros dado que el contrato aún no había sido firmado, pudo por fin retirarse a su habitación.

Había dejado de preguntarse por qué el recuerdo de Bethany lo perseguía a todas horas, en sitios en los que no debería. Y, sin embargo, mientras estaba sentado en el balcón de la suite, era como si ella estuviera a su lado. Como si pudiera oler su perfume, como si pudiera escuchar su voz.

¿Estarían todos los hombres condenados a convertirse en sus padres?

Leo rechazó esa idea, pero fue más difícil de lo

que debería. Porque si olvidaba su propia rabia y frustración, la perspectiva de Bethany sobre su matrimonio no era muy halagadora.

Le había fallado.

Leo se enfrentó con esa verdad, suspirando.

No la había protegido de sus rencorosos primos, cuando debería haber imaginado los problemas que crearían con sus insinuaciones y su natural arrogancia. No la había preparado para lo diferente que sería su vida allí después de su idilio en Hawái.

Y él era el mayor, el más experto. Seguía siéndolo. Había sido su responsabilidad que se sintiera segura, a salvo, en un sitio que era totalmente extraño para ella, un país cuya lengua desconocía y donde no tenía amigos.

Y no lo había hecho.

Había estado tan dispuesto a acusarla de todos los pecados que no se le había ocurrido examinar su propio comportamiento. El hombre que tenía tan alta opinión sobre sí mismo no había querido reconocer que el desastre de su matrimonio era también responsabilidad suya.

Leo se quedó sentado en la oscuridad durante unos minutos, mirando las luces de la ciudad, perdido en sus pensamientos. En el pasado.

Recordando esos ojos azules que estaba decidido a ver brillar de alegría una vez más, aunque para ello tuviese que morir en el empeño.

Capítulo 8

NO QUIERO encerrarte en una jaula —anunció Leo, entrando en el salón de su suite.

Bethany se quedó tan sorprendida que soltó el libro que estaba leyendo, la gruesa edición cayendo entre las patas del sofá de damasco blanco.

—¿Qué?

—Al contrario —siguió él.

No lo había visto en cuatro días y aparecía así, de repente. Bethany bajó las piernas del sofá mientras se lo comía con la mirada como había hecho siempre, por enfadada o dolida que estuviera. No podía evitarlo. Su corazón daba un brinco cada que vez Leo estaba cerca.

Y como no podía controlar esa emoción, intentó ignorarla.

Parecía diferente, le dijo una vocecita interna.

Los ojos oscuros de Leo brillaban de una forma que hacía que se encendiera por dentro. Iba vestido de manera impecable, con una chaqueta negra sobre un suave jersey de cachemir y un pantalón oscuro. Incluso vestido de sport era un príncipe, pensó. Sólo él podía parecerlo sin darse cuenta siquiera.

—Me alegra mucho oír eso —dijo por fin.

Se sentía absurdamente vulnerable, como si se hubiera sentado en ese sofá para él, como si se hubiera dejado el pelo suelto, los rizos cayendo sobre sus hombros con abandono, y los pies descalzos esperando su llegada. Cuando ella no sabía que volvería aquel día.

De haberlo sabido no se habría puesto esos vaqueros gastados que tanto lo irritaban ni la fina camiseta que debía mostrar más de lo que debería.

Habría elegido una armadura para mantenerlo lo más lejos posible.

Como si pudiera leer sus pensamientos, Leo esbozó una sonrisa irónica.

Bethany no entendía la tensión que había en la habitación y que parecía rebotar en las elegantes paredes. Se decía a sí misma que era sólo por su regreso, por su inesperada aparición.

El castillo era un sitio diferente cuando él no estaba. Recordaba cómo había sido antes, cada vez que Leo se iba de viaje. Había ido a Bangkok, a Nueva York, a Tokio, a Singapur... y ella se había sentido atrapada allí.

En realidad, era muy fácil darse cuenta de cómo sus primos habían jugado con ella entonces. Mientras Leo estaba en el castillo se mostraban encantadores, pero cuando se iba, la atacaban sin piedad. Aunque esta vez no había tenido que soportarlos.

Había podido pasear por las interminables salas del castillo sin que nadie susurrara palabras venenosas en su oído, sin que nadie señalara sus torpezas a cada momento.

Era como si hubiera ido a un sitio que no conocía, como si alguien hubiera expulsado a los fantasmas.

Lo había explorado como si fuera un museo o una casa que hubiera visitado antes, un hogar. Incluso podría enamorarse de él, como había ocurrido cuando llegó allí por primera vez.

Y sentía algo parecido por el hombre, pensó mientras lo estudiaba en silencio. Y eso la conmovió hasta lo más hondo.

–Parece como si hubieras visto un fantasma –dijo Leo, con su usual percepción.

Bethany sonrió, casi divertida por ser tan predecible en lo que se refería a aquel hombre. Pero disimuló, agachándose para recuperar el libro del suelo.

–Al contrario.

Mientras apartaba los rizos de su cara con una mano pensó que debería haberse hecho un moño o una coleta... pero no tenía que buscar su aprobación, por mucho que su pulso se acelerase al mirarlo.

–Espero que hayas venido a decirme que es hora de ir a los tribunales.

La expresión de Leo se oscureció. Seguía apoyado en el quicio de la puerta y, sin embargo, parecía ocupar toda la habitación, usando todo el oxígeno, toda la luz.

–Me temo que no –respondió. Había algo que no entendía en su tono, algo que no quería comprender–. Aunque tomo nota de tu impaciencia.

–Llevo aquí días y días –le recordó ella–. Yo no pedí venir a Italia, Leo. De nuevo, he de recordarte que tengo una vida en Toronto...

–No tienes que recordármelo, Bethany –la interrumpió él, su nombre como un conjuro en sus labios–. Pienso a menudo en tu amante. Es un tema que me parece cautivador.

Bethany se quedó sin aliento. Había olvidado esa tonta mentira y, nerviosa, se miró las manos un momento para recuperar la calma. ¿Por qué sentía el abrumador deseo de confesarle la verdad? ¿Pensaba que eso cambiaría algo?

–Mi amante –repitió.

–Por supuesto. No podemos olvidarnos de él –dijo Leo.

Ella sintió que le ardía la cara, pero intentó disimular. Nada de eso importaba y, además, sabía por qué Leo fingía interés por ese amante. Todo tenía que ver con su reputación, con su honor. Él y su maldito legado familiar que era lo más importante de sí mismo.

–Me sorprende que te hayas tomado la noticia con tanta tranquilidad. Pensé que tu reacción sería diferente.

–Que tengas un amante es un insulto a mi honor y a mi apellido, pero como pareces tener tanta prisa por librarte de ese apellido... ¿por qué voy a poner objeciones?

Bethany lo miró, con una mezcla de desesperación y furia. No cambiaría nunca. No podía cambiar. Entendía esa verdad de manera diferente después de esos días investigando el mausoleo donde había crecido.

Lo habían educado para ser quien era. Lo habían moldeado, manipulado, convencido para que asumiera su título, su fortuna, sus tierras y sus muchos negocios. Y ella era una tonta por haber esperado otra cosa.

Si que Leo creyera que tenía un amante servía para acelerar el proceso de divorcio, eso era lo que necesitaba. No creía que pudiese hacerle daño... no, era imposible hacerle daño al todopoderoso príncipe Di Felici. El deseo que sentía de confesarle la verdad no era más que una distracción que no servía para nada.

–¿Cuál es tu excusa esta vez? –le preguntó, después de llevar aire a sus pulmones.

–¿A qué te refieres?

–¿Cuál es tu excusa para no haber acudido antes a los tribunales?

Leo se encogió de hombros, un gesto que ella conocía bien y que, a pesar de sí misma, calentó algo en su interior.

¿Qué le pasaba? ¿Iba a echarse a sus pies sencillamente porque había vuelto a Italia?

La irritaba su debilidad, su susceptibilidad. Sabía que la promesa de Leo de no tocarla era un regalo. Podía ser lo único que la salvase de sí misma.

–Es viernes por la tarde –dijo él–. Y los tribunales no abren hasta el lunes, pero este lunes es festivo. Me temo que tendrás que soportar unos días más siendo mi esposa.

Bethany no entendía lo que estaba pasando entre ellos. Era como si hubiera cambiado durante el viaje, como si todo hubiera cambiado sin que ella se diera cuenta.

¿Pero por qué? Recordaba su amarga expresión durante el desayuno, antes de despedirse. Recordaba las cosas que había dicho, el mismo ciclo frustrante de conversaciones que no llevaba a ningún sitio. Las recriminaciones, las acusaciones y ese sentimiento de culpa y de vergüenza que siempre llevaba consigo, más fuerte cuando Leo estaba a su lado.

Había tenido varios días para pensar en ello y no había llegado a ninguna conclusión. Y, sin embargo, estaba más decidida que nunca a dar por finalizadas las discusiones. ¿Para qué cuando no llevaban a ningún sitio y la hacían sentir peor?

Leo dio un paso adelante y Bethany contuvo el deseo de levantarse para estar a la misma altura. La habitación era demasiado pequeña, se dijo a sí misma, y resultaba fácil para él pensar que podía dominarla. Pero eso no significaba que pudiera hacerlo. No le dejaría.

–¿Te has preguntado alguna vez qué pasaría si no te tuviera, como tú dices, en una jaula? –le preguntó, su voz tan suave, tan calmada recorriendo sus venas como el vino.

Bethany tardó un momento en entender qué quería decir.

–Por supuesto que sí –respondió por fin–. Y también me he preguntado cómo sería el mundo si Santa Claus fuese real o si las criaturas mágicas de los cuentos se movieran entre nosotros.

Leo se limitó a levantar una ceja, esperando que siguiera.

–Pero no voy a jugar contigo –dijo ella entonces, una tormenta de sentimientos desatándose en su interior–. No voy a tener una conversación sobre cuentos de hadas y duendes contigo, ni voy a echar sal en las heridas hablando de lo que hubiera podido ser.

–Cobarde.

Una simple palabra, pronunciada en voz baja, casi

con amabilidad, que incendió la ira de Bethany. Pero no explotaría, no le daría esa satisfacción después del esfuerzo que había hecho, que hacía continuamente para mostrarse tranquila.

–Eres una cobarde –repitió él, con un brillo de satisfacción en los ojos. Sabía que la estaba afectando, que podía provocarla–. Te has quejado de las cosas que yo te he hecho, pero cuando te pido que imagines cómo podría haber sido, pierdes la paciencia. Ni siquiera puedes mantener una conversación. ¿De qué tienes miedo?

–No creo que tenga sentido alguno mantener una discusión sobre algo hipotético.

En cierto modo, Bethany reconocía que le gustaría gritar, explotar de una vez. ¿Pero por qué? Leo le había dicho cosas peores.

–Entonces, hablemos de algo que no sea hipotético. A partir de este momento, considérate fuera de la jaula. ¿Qué pasaría ahora?

Bethany tragó saliva, sintiéndose tragada por las arenas movedizas de los sueños perdidos, por su antigua ingenuidad, por las imposibles esperanzas que había puesto en aquel hombre tan frustrante. Su príncipe.

Por un momento, se quedó suspendida en su mirada. Parecía como si de verdad le estuviera ofreciendo las cosas que deseaba.

Que una vez había deseado, se corrigió a sí misma. Pero ya no. No quería nada de aquel hombre. Aquello sólo era un juego para él. No era real.

No podía ser real. Y lo que sentía al mirarlo era un eco, nada más.

–¿Por qué quieres hacer esto? –se oyó preguntar a sí misma, como si hablase otra persona.

La habitación, con sus cortinas de damasco, sus exquisitos muebles y valiosos cuadros desapareció entonces. No podía sentir el suelo bajo sus pies. No podía ver nada más que la ardiente mirada de Leo clavada en ella. Sólo existía Leo y el vasto mar de cosas que deseaba y que nunca podría tener.

–¿Por qué no? –le preguntó él, como si estuvieran juntos al borde de un precipicio y bajo ellos no hubiera nada más que oscuridad–. ¿Qué podemos perder?

Bethany entendió en ese momento que era la cobarde que él había dicho y le dolió en el alma. Su furia se disipaba como si no hubiera existido nunca, dejándole una ligera sensación de náuseas. Pero respiró profundamente y se enfrentó con la realidad.

No había nada que perder, era cierto. ¿Entonces por qué estaba tan decidida a protegerse a sí misma?

¿Por qué imaginaba que sus fantasías de cría sobre lo que podría haber sido importarían una vez que el divorcio hubiera finalizado? ¿Por qué actuaba como si la matase hacerle saber cuánto lo había amado una vez?

No la había matado después de todo, aunque muchas veces se había preguntado cómo iba a sobrevivir. Y sobreviviría de nuevo. Pero si ése era el caso, ¿por qué mantener la insustancial pretensión que nunca había logrado protegerla de nada?

¿Qué le quedaba salvo la verdad, por triste que fuera?

–No podría soportar que usaras esto como un arma

contra mí –le confesó, sintiéndose desnuda y vulnerable como nunca, ni siquiera en los peores momentos–. No podría soportarlo si también te rieras de esto.

Leo no apartó la mirada y Bethany lo respetó un poco más porque no se había apresurado a afirmar nada que, en cualquier caso, ella hubiera cuestionado. Y no sabía por qué, pero confiaba en él en aquel momento.

–No puedo prometerte nada –dijo Leo al fin–. Pero puedo intentarlo.

Pies descalzos y una cesta de merienda, eso fue lo que le pidió a la mañana siguiente, cuando se encontraron para desayunar. Leo no había visto sus ojos bailar así, divertidos y burlones, en demasiado tiempo y no quería especular sobre su propia reacción.

–¿Perdona? –exclamó, pero estaba fingiendo su acostumbrada arrogancia.

Bethany sonrió, esa preciosa boca suya curvándose de una forma que afectó directamente a su entrepierna. Cuánto la deseaba... pero no podía tomarla como le gustaría. Sólo podía esperar, aunque le doliese más con cada segundo que pasaba.

–Ya lo has oído.

–¿Quieres que camine descalzo por el jardín?

–Como el campesino que no serás nunca, sí –le confirmó ella, sorprendida al verlo reír.

–Y así, de repente, todas mis convicciones sobre el sexo opuesto se esfuman –bromeó Leo.

–¿Qué quieres decir?

–Pensaba que las mujeres preferían el príncipe a la rana, pero tú no, Bethany. Por supuesto, tú no.

Sus palabras quedaron colgadas entre los dos, bajo el sol que entraba por los ventanales jugando con los platos y las bandejas que había sobre la mesa. Lo había dicho de broma, pero Bethany se aclaró la garganta, incómoda.

–No tiene sentido jugar a estos juegos. No sé para qué me molesto. Nada cambiará nuestra situación.

–No, eso es verdad –asintió Leo, sabiendo que Bethany y él tenían diferentes ideas sobre el asunto. Pero no era el momento de explorar esas diferencias, era el momento de sentir.

¿Qué le pasaba? Estaban hablando de obligaciones, las de ella. No sabía por qué estaba preguntándose si la había tratado de manera justa o no. Daba igual cómo la hubiese tratado, era el momento de que volviera allí, a su lado. Él no era un hombre que fracasara dos veces y, habiendo aceptado su primer fracaso, sabía que no lo repetiría.

Irritado consigo mismo, y con su incapacidad para decir lo que debería, Leo se levantó para dirigirse a la puerta.

–¿Qué haces? –le preguntó Bethany.

Que le complaciera notar la inseguridad en su voz decía de él cosas que Leo no quería examinar.

¿Por qué iba a ser el único incómodo con aquella situación? ¿Por qué no podía librarse del anhelo que sentía por ella?, se preguntó.

Tal vez por eso no le pidió que olvidase el juego. Tal vez por eso seguía dándole todos los caprichos. Incluso ahora.

Se volvió en la puerta para mirarla. Era tan bella, su infiel esposa, la luz del sol que entraba por la ventana creando una sinfonía de colores en sus rizos oscuros. Nunca había podido controlar su deseo por ella, un deseo que lo empujaba, que lo volvía loco, que nunca se había apartado de su lado.

Ella se mordió los labios y Leo sintió como si hubiera clavado los dientes en su propia carne. Quería besarla más de lo que recordaba haber querido nada en toda su vida. Pero antes tenía que jugar a ese juego suyo.

Y pensaba ganar.

Entonces, tal vez, podrían comparar hechos y discutir ciertas verdades que a Bethany no le gustarían.

Leo se obligó a sí mismo a mirarla con fría amabilidad. Como si no pudiera imaginar seis maneras diferentes de tomarla allí mismo, en ese mismo instante. Sobre la mesa, en el suelo, contra uno de los ventanales, con la luz del sol bañándolos...

Pero eso no servía de nada.

–Voy a pedirle a mi mayordomo que busque un atuendo adecuado para los pies descalzos.

El juego que había creado tenía como objetivo salir de la jaula y tirar barreras, se recordó Bethany a sí misma. Y, por eso, subió a la habitación de Leo poco después de que él hubiera desaparecido.

Nunca la había animado a que entrase en su habitación, a menos que estuvieran desnudos. Y su primo Vincentio solía darle lecciones sobre cómo debía comportarse la esposa de un hombre tan importante como el príncipe Di Felici, así que nunca lo había intentando siquiera.

Pero Bethany apartó de sí esos recuerdos y, haciendo un esfuerzo, entró en la suite del príncipe.

Como era de esperar, era la habitación de un noble del pasado, magnífica y totalmente masculina: cortinas de terciopelo granate, muebles de caoba y una cama con dosel que estaba colocada en el centro, como si fuera un altar.

Bethany se encontró apretando las manos sobre su pecho, como una virgen dispuesta al sacrificio. Las alfombras que había a sus pies eran impresionantes y hablaban de una fortuna de siglos, de antiguas rutas comerciales y príncipes cuyos reales pies las habían pisado como hacían los suyos en aquel momento.

Entonces, por un instante, deseó que Leo fuese un hombre normal, el hombre que había imaginado que era cuando lo conoció en la playa de Hawái. Pero mientras lo deseaba, algo rechazaba ese pensamiento.

Él mismo había dicho que no tendría sentido sin la historia de su familia y la verdad era que ni ella misma era capaz de imaginarlo separado de todo aquello. Por abrumadora que fuera su habitación, con su arquitectura renacentista, no podía negar que pegaba con él. Leo era un príncipe en todos los sentidos, siempre lo había sido.

Entonces él entró en la habitación y Bethany se quedó inmóvil, atónita.

Llevaba un atuendo que jamás hubiera imaginado tenía en su vestidor. En realidad, había pensado que esa petición suya de pies descalzos y ropa informal lo haría sentir incómodo, torpe, que lo convertiría en un hombre corriente.

Debería haber sabido que no sería así.

Cuando se acercó a ella, los ojos oscuros clavados en los suyos, sus pezones se endurecieron bajo la blusa de algodón y algo se derritió entre sus piernas.

Llevaba un pantalón vaquero gastado que se ajustaba a sus poderosos muslos y una camiseta negra de manga corta.

Incluso vestido como el hombre sencillo de sus fantasías, Leo di Marco parecía absolutamente cómodo, aunque tan impresionante como siempre.

Su sonrisa era hambrienta, sus ojos perceptivos. Y Bethany se dio cuenta de que, como siempre le ocurría con él, había calculado mal.

Había olvidado lo letal que era Leo.

Los trajes de chaqueta y la previsible elegancia del príncipe Di Felici distraían de su esencial carisma, sin duda permitiéndole hacer negocios sin que aquellos que estaban a su alrededor se evaporasen.

¿Cómo podía haber olvidado lo que había bajo su ropa?

Aquél era el hombre que la había hecho perder la cabeza, alterando su vida para siempre con una simple sonrisa. Aquél era el hombre de ojos ardientes al que había conocido en las cálidas aguas de Waikiki, seguro de sí mismo y peligrosamente atractivo.

Una criatura impresionante a la que había seguido hasta Italia, el hombre con el que se había casado y había amado con todas las fibras de su ser, sólo para verlo tragado por la historia de su familia, su propia historia, sus interminables obligaciones.

Leo la había convencido, en el curso de dos semanas apasionadas e imposibles, para que le diera la espalda a todo lo que había conocido hasta ese momento, para que lo siguiera hasta un país que no
conocía y se casara con él porque la haría feliz.

¿Qué haría esta vez, cuando sabía que no había felicidad posible para los dos y, aun así, su corazón se
aceleraba al mirarlo? ¿Cuando no había logrado llevar aire a sus pulmones desde que entró en la habitación?

Aquello no era un juego, pensó Bethany demasiado tarde, sorprendida por su propia ingenuidad, su
propia debilidad. Aquello era todo lo que había perdido.

Aquello era todo lo que había anhelado.

Y estar allí era un terrible error.

Capítulo 9

DESDE el principio has querido dejarme claro lo que no eres –dijo Leo entonces, con esa voz ronca que parecía resonar por todo el valle de Felici–. Tal vez es hora de que me digas quién eres.

Estaban paseando por el camino rodeado de cipreses que llevaba al valle y, desde allí, según le había dicho Leo, a un lago en la cima de la colina.

Era como un sueño, pensaba Bethany, sintiendo como si estuviera viéndose desde lejos, como si no fuera ella quien paseara esa mañana de otoño con aquel hombre tan hermoso, sino otra mujer. Una que no tenía miedo de que cualquier palabra, cualquier paso en falso rompiera esa aparente tregua entre los dos. Una que no supiera nada de la larga guerra que los había cubierto a los dos de cicatrices.

Como la pareja que podrían haber sido...

Bethany tuvo que morderse los labios, apenada. O tal vez era sólo que estaban libres del castillo al fin, de sus pesados muros de piedra y del peso abrumador de su historia, libres de las personas que tenían que ser cuando estaban allí.

Miró a Leo de soslayo entonces; sus altos pómulos y su nariz romana, esa boca que la había hecho

perder la cabeza tantas veces y que, sin embargo, podía retorcerse en una mueca cruel cuando algo no le
gustaba.

Leo llevaba la cesta de la merienda en una mano
y parecía tan cómodo con los pies descalzos como
con sus carísimos zapatos italianos hechos a medida.
Por alguna razón, eso hizo que su corazón se expan-
diera dentro de su pecho, casi hasta dolerle.

–Has terminado la carrera, ¿verdad? –le preguntó
él.

Bethany sonrió.

–Sí, la terminé por fin –respondió–. Estudié Psicología.

«Para descubrir qué me pasaba, por qué había desaparecido cuando te conocí», pensó. Pero no lo dijo
en voz alta. «Como si nunca hubiera existido».

–Fascinante –murmuró él–. No sabía que te inte-
resase tanto la mente humana.

«Sólo la tuya y la mía», pensó Bethany con cierto
fatalismo. Aunque eso no era cierto del todo y aquél
era un día sin mentiras ni pretensiones, decidió. Podía ser ella misma, como si hubieran escapado del
pasado, como si estuvieran conociéndose.

–Me interesa la interacción humana –le dijo–. Mi
madre era arqueóloga, que es algo similar, supongo.
Ella quería entender a los seres humanos por las cosas
que habían dejado atrás. Yo estoy menos interesada
en los restos de las antiguas sociedades que en cómo
sobrevive a la gente a lo que ocurre diariamente en
sus vidas.

En cuanto lo dijo pensó que había revelado demasiado. O tal vez no.

–No sueles hablar de tu madre –comentó Leo.

–Murió cuando yo era muy pequeña, apenas la recuerdo –Bethany se encogió de hombros, arrugando la nariz mientras levantaba la cara hacia el sol–. No, la verdad es que no la recuerdo en absoluto. Mi padre nunca hablaba de ella cuando yo era pequeña, creo que porque le dolía demasiado. Pero al final de su vida no hablaba de otra cosa. Supongo que temía que cuando él muriese desaparecería también su recuerdo.

El camino se convertía en una pendiente que subía por la falda de la colina y caminaron uno al lado del otro, como si tuvieran todo el tiempo del mundo. Como si estuvieran bajo un hechizo, como si ese juego fuera real y pudieran vivir así para siempre.

–Cuando volví a Toronto decidí terminar la carrera. Supongo que era una manera de honrar a mi madre. Me parecía una continuación de sus estudios.

–Me alegro por ti –dijo Leo–. Entiendo que quieras mantener los lazos con tu familia.

Lo decía como si la conociera, como si le importase... de una manera que Bethany no estaba dispuesta a aceptar porque la hacía sentir inquieta.

–No creo que eso sea un problema para ti, ¿no?

–¿Por qué?

–Porque no puedes dar un paso sin chocarte de bruces con la familia Di Marco.

Leo sonrió.

–No, no puedo, es verdad. Pero no siempre es agradable, te lo aseguro. Mi padre no era un hombre fácil. Era arrogante, un príncipe convencido de que dominaba sobre su territorio, su riqueza, su título, su mujer y su familia. No era tolerante con nada.

–Leo...

–Me enviaron a un internado en Austria a los cuatro años –siguió él–. Y te aseguro que era más agradable que vivir con mi padre. Me educaron para pensar que nada ni nadie era más importante que el legado de los Di Marco, que sólo debía pensar en mis responsabilidades y mis obligaciones –Leo la miró a los ojos entonces y Bethany no pudo leer lo que había en ellos, como no podía identificar las emociones que había en su propio corazón–. Hay cierta libertad en no tener que tomar decisiones.

–Eso suena horrible. El cáncer se llevó a mi madre demasiado pronto y mi padre lloró por ella el resto de sus días, pero me quería. Nunca dudé de su cariño.

–A mí me educaron para despreciar tales debilidades –dijo Leo.

En su rostro le pareció ver algo indefinible... pero enseguida lo escondió bajo una máscara de indiferencia.

Bethany sabía que debería reconocer esa expresión y algo en ella la empujaba a consolarlo, pero no se atrevió. Leopoldo di Marco no era un hombre que necesitara consuelo.

–Los Di Marco, sin duda, tenían cosas más importantes en las que pensar.

–Mis deberes quedaron muy claros para mí desde que era muy pequeño y no tenía sentido rebelarse. No podía actuar como los chicos de mi edad, siempre debía pensar en mi apellido antes que nada –Leo se encogió de hombros–. Si lo olvidaba alguna vez, a mi alrededor había un ejército de gente para recordármelo. Especialmente mi padre, usando los medios que considerase oportunos.

Ella lo miró, sorprendida.

–Pero eras un niño, no un robot dispuesto a ser programado según sus arcaicas demandas.

–Mi padre no quería un hijo –dijo Leo–. Quería al siguiente príncipe Di Felici.

Bethany no sabía qué decir porque temía que las lágrimas la traicionasen. Y lo peor era que no sabía bien por qué. Sólo sabía que las cosas estaban más claras para ella que nunca. Aunque siempre lo había sospechado, Leo nunca le había hablado de su infancia...

Pero cuando llegaron a la cima de la colina se quedó sin aliento por una razón totalmente diferente. El camino llevaba hasta la orilla de un lago de ensueño, sus aguas brillantes como el cristal bajo el sol de otoño. A su alrededor, los pájaros cantaban sobre los árboles que le daban sombra y la hierba que lo rodeaba estaba cubierta de flores silvestres.

–Es un sitio precioso –murmuró, emocionada.

¿Cómo podía no haber visto aquel sitio mientras vivía allí? ¿Cómo era posible? Tenía una extraña sensación de vértigo, como si todo lo que había aceptado como un hecho se pusiera patas arriba de repente.

–Mi madre podría haber sido un artista –dijo Leo con esa voz ronca hecha de terciopelo, acero y chocolate–. De no haber tenido la desgracia de convertirse en la *principessa* Di Felici. Cuando tuvo un vástago, mi padre decidió hacerle un regalo por servicios prestados: este lago.

–¿Lo hizo tu padre?

–Es artificial, parecido a un lago en una finca de Andalucía en la que mi madre pasó mucho tiempo de pequeña –Leo la miró entonces–. Pero no creas que mi padre era un romántico, nada más lejos de la verdad. No era sensible en absoluto. Sin embargo, le importaba mucho la opinión pública y el nacimiento de un nuevo príncipe era un evento digno de ser celebrado de manera ostentosa. De modo que construyó un lago artificial para que Domenico di Marco fuera ensalzado como el héroe romántico que no fue nunca.

–Es precioso –repitió Bethany, con más firmeza esta vez–. Da igual cómo o por qué se construyera.

Luego se acercó al borde del agua y miró la superficie durante un segundo. Tenía que pensar, que calmarse un poco para controlar las emociones que empezaban a embargarla. Aquel día no debía enfadarse, ni emocionarse, sólo quería sentirse en paz.

No podía lamentar algo que sólo iba a ocurrir un día, cuando todo había terminado entre ellos. No imaginaría lo que podría haber sido si aquel día hubiera tenido lugar tres años antes. No arruinaría el momento, fuera el que fuera, pensando en cambiar el pasado.

Cuando se dio la vuelta, Leo había colocado una manta sobre la hierba y estaba sacando cosas de la cesta: pollo frío, aceitunas, embutidos, queso, una selección de patés, una botella de vino, manzanas y uvas.

Una merienda para un ejército, pensó Bethany, burlona.

Lo vio tumbarse sobre la manta, con las piernas estiradas, cada centímetro de su cuerpo el de un peligroso animal, aunque parecía indolente.

Bethany no podía mirar esa camiseta negra sin que

todo lo demás se convirtiera en un borrón y, cuando al mover el brazo la camiseta se levantó, dejando al descubierto su estómago plano, tuvo que tragar saliva.

–Ven, siéntate conmigo –le dijo, el lobo a Caperucita.

Y como nunca había sido más que una ingenua cuando estaba con él, Bethany se sentó a su lado.

Y en cuanto lo hizo supo que algo había cambiado. Quería que fuera sólo la sombra de los árboles o una nube tapando el sol o un repentino cambio en la temperatura, pero temía que no fuera eso.

Mientras se tapaba las rodillas con la falda de algodón blanco, intentó mantener la atención en las aguas del lago para no sentir la tensión sexual que emitía el cuerpo de Leo.

–¿Tienes hambre? –le preguntó él.

Y Bethany se volvió para mirarlo, como si él ordenase y ella no pudiera hacer nada más que obedecer.

Y Leo lo sabía. Podía verlo en su sonrisa, en el brillo de satisfacción de sus ojos oscuros.

Bethany no sabía qué hacer. Sabía cómo podría haber lidiado con esa situación dos horas antes, cuando aún no habían recorrido aquel camino mágico, antes de que Leo le contase lo que ella había sospechado siempre sobre su infancia.

Antes de que su traidor corazón lo anhelase como si nunca se lo hubiera roto.

–¿Qué tal tus reuniones en Sídney? –le preguntó, a la desesperada. Tal vez era una cobarde, como él había dicho.

Leo esbozó una sonrisa mientras tomaba un trozo de queso con sus largos dedos. Lo mordió, mirándola, y el gesto, Bethany no sabía por qué, le pareció increíblemente erótico.

El lago era tan tranquilo, la brisa tan dulce sobre su piel, el sol sobre sus cabezas tan cálido.

—No suelo perder las cosas que quiero, Bethany —respondió él, con un claro doble sentido—. Pero tal vez eso es algo que ya sabes.

—Sé que te tomas tus negocios muy en serio, si es a eso a lo que te refieres.

Era incapaz de apartar la mirada, incapaz de no imaginar qué pasaría si se echaba un poco hacia delante para dejarse caer sobre su pecho...

Pero, por supuesto, eso no iba a pasar.

—Yo me lo tomo todo muy en serio —dijo él, su voz casi un susurro—. Soy famoso por mi atención al detalle.

—Leo... —Bethany no sabía qué quería decir, pero se sentía atrapada. Y lo más aterrador era lo poco que la asustaba.

¿Qué le estaba pasando? ¿Cómo podía dejar que la hechizase después de todo lo que había ocurrido entre ellos?

Pero tenía la impresión de haber dejado a la batalladora Bethany en el castillo. De que por fin Leo la había desarmado y era más vulnerable que nunca.

Y, sin embargo, su mirada ardiente era lo único que le importaba en aquel momento.

—Me estás devorando con la mirada —dijo Leo entonces—. Veo tus deseos escritos en tu cara. Veo que te tiemblan las manos y que respiras de manera agitada...

–Tal vez sea de asco –lo interrumpió ella.

Él sonrió, con esa sonrisa de predador, eléctrica, abrumadora.

–Eres estudiante de Psicología, dime tú qué significan todas esas señales.

Bethany apartó la mirada, pero la palabra «psicología» había roto la niebla en la que parecía estar perdida.

«Tienes otra vida, una vida diferente, ya no eres la misma persona», se dijo a sí misma fieramente, intentando respirar con normalidad. Aquello sólo era un sueño, en un lago que no debería existir.

–No hay que ser psicólogo para saber que tocarte sería un error monumental –respondió por fin, volviendo a mirar al lago para no mirarlo a él.

–Si tú lo dices... –murmuró Leo. No parecía ofendido o molesto.

Bethany supo sin mirarlo cuándo tomó un trozo de *prosciutto* y cortó un trozo de pan con las manos para untarlo con tapenade de aceitunas. Supo cuándo apoyó un codo en la manta, cuándo se chupó los dedos, cuándo volvió a mirarla.

–¿Por qué no me habías traído nunca aquí? –le preguntó cuando la tensión se volvió insoportable.

¿Era peor imaginar lo que estaba haciendo o verlo directamente? Tantos años y seguía sin saberlo.

–Éste nunca fue un sitio con gratos recuerdos. No me parecía apropiado traer a mi esposa a un sitio creado por el ego de un hombre y a pesar de las lágrimas de una mujer.

Bethany tragó saliva.

–¿Y ahora?

¿Por qué lo preguntaba? ¿Qué quería de él?

Pero ella sabía lo que quería. Siempre lo había sabido: todo. Por eso, lo poco que había recibido le había dolido tanto. Por eso había seguido en la casa de Toronto durante tanto tiempo, esperando que Leo volviera, aunque se odiaba a sí misma por esa debilidad.

–¿Qué quieres que te diga? ¿Qué debo decir para que me toques como deseas hacerlo, Bethany? ¿Como los dos deseamos? Dime lo que quieres que diga y lo diré. Cualquier cosa.

Fue como si, de repente, hubiera un terremoto bajo sus pies, como si la tierra se hubiera soltado de su eje. Aunque eso sería más sencillo que lo que sentía de verdad: aquella pena profunda, aquel anhelo. El innegable deseo y el miedo de que, si no ponía la mano sobre él, Leo desaparecería para siempre, como si no hubiera existido nunca.

Porque no debería haber existido. No debería haberse fijado en ella en la playa de Waikiki. No era hombre para ella. Siempre había sido como un préstamo, Bethany lo había reconocido desde el principio.

¿Era por eso por lo que tenía pataletas, por lo que había hecho todo lo posible para alejarlo de ella? ¿Lo había hecho para adelantar el inevitable día en el que Leo la mirase y viera que había cometido un error al casarse con ella? ¿Por qué no adelantar el amargo final?

–Me miras como si fuera un fantasma –dijo él.

–A veces pienso que eso es lo único que eres –se oyó decir a sí misma, como si ya no pudiera controlarse, como si todas las cosas que había admitido por la noche salieran de sus labios sin control alguno.

—Eso es todo lo que tú me permites ser.

—No te entiendo...

—Me dabas tu cuerpo, tus palabras de amor, ¿pero y la mujer de verdad que había detrás? ¿La mujer de carne y hueso? Eso no me lo ofreciste nunca.

Tres años antes, Bethany le habría tirado algo a la cara, habría intentado hacerle daño de alguna forma. Pero aquel día era diferente, como si las reglas habituales no pudieran aplicarse. O tal vez era aquel sitio, el sereno lago escondido en la colina que, sin embargo, no se había hecho de felicidad. Como ellos, pensó.

—Tú querías algo que yo no podía ser. Querías a la mujer con la que deberías haberte casado, la mujer con la que *te habrías* casado de no haberme conocido en Hawái.

No sabía qué esperaba de él, ¿que dijera que no era verdad? Una parte de ella anhelaba escuchar que estaba equivocada. Pero Leo no dijo nada.

—Deberías haberte casado con una aristócrata, alguien educado como tú, de tu mundo, siempre bien peinada y elegante —siguió Bethany, repitiendo de memoria las cosas que sus primos le habían dicho tantas veces—. Yo no era nada de eso y tú me detestabas por ello...

—No —la interrumpió Leo entonces—. Eso no es cierto. Nunca te he detestado. Al contrario, me detestaba a mí mismo por intentar convertirte en alguien que no eras.

Bethany abrió la boca, pero ni una sola palabra salió de su garganta. Nada tenía sentido, todo era una mezcla de pena, dolor y equivocaciones, de sus propios miedos y el veneno de sus primos, de su incapacidad para llegar a él y su incapacidad de olvidarlo como debería.

—Que no fueras todo eso es la razón por la que me casé contigo —siguió Leo, con voz sombría.

Bethany se quedó asombrada al darse cuenta de que lo creía. Pero ella recordaba cómo había sido tres años antes... se había mostrado tan frío, tan distante, tan desaprobador. Y ella no sabía cómo lidiar con eso cuando el hombre del que se había enamorado había sido tan apasionado, siempre pendiente de ella.

—¿Por qué no me lo dijiste entonces? —le preguntó, sorprendida al notar que estaba susurrando.

¿Habría sido diferente? ¿Habría cambiado algo?

—No podía decirte algo que ni yo mismo sabía.

—¿Querías algo diferente? ¿Es eso? ¿Pensabas que yo podría ser... una forma de rebelarte contra tu padre?

—Te deseaba a ti —dijo Leo, su voz tan oscura como sus ojos, su expresión tan turbulenta como imaginaba debía de ser la suya—. Y te confieso, Bethany, que no pensé en nada más.

Ella quería llorar, hacerse una bola y sollozar hasta purgar todos los sentimientos que guardaba dentro.

Pero en lugar de eso, respondió a una urgencia que no se atrevía a examinar inclinándose hacia delante, mirándolo a los ojos durante unos segundos antes de poner sus labios sobre los de Leo.

—Espera...

La detuvo antes de que lo tocase y Bethany se

quedó inmóvil, sus labios tan cerca. Temblaba y él sonrió, aunque su cuerpo estaba tenso como un cable.

–¿Qué? –susurró, con el corazón en la garganta.

–Si me besas, te haré mía –le advirtió Leo, sus ojos brillando con ese calor embriagador que conocía tan bien–. Quiero que estés segura del todo.

Bethany no estaba segura en absoluto. Pero se sentía temeraria, no tenía miedo. Era como si se hubiera perdido a sí misma en arenas movedizas. Sentía demasiado y los sentimientos eran tan grandes, tan aterradores.

«Te deseaba», le había dicho, haciéndola temblar. Precisamente aquel día, allí, frente al lago que no debería estar, un monumento a un matrimonio turbadoramente parecido a aquél del que había escapado, no quería preocuparse de las consecuencias.

Bethany se pasó la lengua por los labios y sintió que Leo contenía un gemido, su oscuro deseo ardiendo ente los dos.

Sólo aquel día, se prometió a sí misma. Sólo una vez más.

Y luego, olvidando todos esos años de amargura, de resentimiento y de pena, buscó sus labios por fin.

Capítulo 10

LEO dejó que lo besara, una vez, dos veces. Era como estar en el cielo. Era una especie de paraíso que Bethany lo necesitara tanto como la necesitaba él. Si aquélla era una rebelión, no sabía cómo iba a hacer otra cosa que dejarse vencer.

Y luego, sin poder evitarlo, una sensación de triunfo, de victoria y alivio lo embargó por completo.

Se echó hacia delante, sin apartar su boca de la de ella, y tomó su cara entre las manos, inclinando a un lado la cabeza para besarla a placer.

Ah, el sabor de sus labios... era como el mejor vino, como el calor del sol en el más hermoso verano. Llevaba días excitado pensando en ella, años. Y se excitó aún más al oír sus impacientes gemidos de placer, al notar que enterraba los dedos en su pelo.

Seguía besándola sin parar, sin cansarse, como si no pudiera saciarse nunca de sus labios, como si temiera que Bethany cambiase de opinión si paraba un segundo. Como si al parar un momento ella pudiera desaparecer.

Otra vez no, pensó. Ya no.

No desaparecería mientras capturaba sus rizos entre los dedos, no mientras la saboreaba como si estu-

viera muerto de sed y ella fuera el agua más fresca y
más pura.

Y luego dejó de pensar. No podía hacerlo, sólo
podía apretarla contra su pecho para sentir su calor.
Pero pronto esa deliciosa presión ya no era suficiente.
¿Lo sería algún día?

Leo deslizó una mano por su espalda, por sus caderas, por la fascinante curva de sus nalgas, levan-
tándola un poco, empujándola hacia él, su feminidad
apretada contra su dura entrepierna.

Bethany se echó hacia atrás poniendo las manos
sobre sus hombros y, durante unos segundos, Leo la
miró, los rizos cayendo sobre sus hombros, los ojos
brillantes, los labios húmedos de sus besos.

Era la criatura más hermosa que había visto nunca
en toda su vida. Y era suya. Y él era suyo. Siempre
había sido así. Incluso cuando había querido que fuera
alguien que no era había sabido esa simple verdad.
Cada curva, cada suspiro, cada gemido... toda ella le
pertenecía.

Quería seguir besándola hasta que admitiera la
verdad, hasta que gritase, hasta que sollozase su
nombre como una plegaria a la que sólo él podía responder.

Y lo haría.

–Di que me deseas –le ordenó, su voz la de un extraño mientras la apretaba más contra él.

–Tú sabes que es así –musitó ella, más un gemido
que una frase mientras acariciaba sus hombros, los
tensos músculos de su espalda, la suave piel de sus
bíceps.

Leo acarició sus pechos con una mano, rozando

los tensos pezones con la punta de los dedos a través de la tela de la camisa mientras la veía cerrar los ojos.

–Dilo –repitió. Era una necesidad, por razones que no podía entender y no quería examinar.

Ella inclinó la cabeza y pasó la lengua por su cuello, haciendo que se estremeciera.

–Bethany...

–Tú lo sabes tan bien como yo. Siempre lo has sabido.

Leo buscó su boca, ardiente y perfecta, y metió una mano bajo su falda para acariciarla. Lo inflamó encontrarla húmeda para él.

Dejando escapar un gemido ronco, con más determinación que habilidad, bajó la cremallera de su pantalón para liberar su miembro, orgulloso y duro entre los dos. Y luego apartó a un lado las braguitas y se detuvo en su entrada durante un segundo, sin aliento.

–Leo... –su nombre sonaba como un sollozo, un conjuro, una oración.

–Dímelo –murmuró él, con voz torturada.

Bethany movió las caderas para apretarse contra él, desperada.

–Quiero oír esas palabras –insistió–. De tu boca. Quiero que lo digas.

Ella le echó los brazos al cuello, sus pechos aplastados contra su torso, torturándolos a los dos. Cuando habló, fue como si le arrancasen las palabras, como si fuera tan impotente ante la pasión como él. Y a Leo le encantó.

Cómo le encantó.

–Te deseo –dijo Bethany por fin, con voz rota, mareada, deseándolo como no había deseado nada en toda su vida–. Cuánto te deseo, Leo...

Se enterró en ella hasta el fondo, tan estrecha y perfecta como siempre... como si estuviera hecha para él, expresamente para su pasión.

Bethany llegó al clímax casi antes de que él pudiera moverse. Echó la cabeza hacia atrás, cerrando los ojos, estremecida.

Leo se apartó, temblando ligeramente por el esfuerzo de controlarse, disfrutando de la sensación de su cuerpo, tan suave, tan húmedo... y todo suyo.

Aunque no era suficiente. Nunca sería suficiente.

Pero era un principio.

Bethany no podía respirar. Sentía como si se hubiera roto en un millón de piezas y, sin embargo, Leo seguía ardiente y duro dentro de ella.

Cuando logró abrir los ojos lo encontró mirándola, sus facciones sensualmente intensas, y se mordió los labios mientras seguía sintiendo las sacudidas internas, haciendo que sus pezones se endurecieran.

Sin dejar de mirarla, Leo empezó a moverse y Bethany se agarró a sus hombros, acariciando los duros músculos. Mientras sujetaba sus caderas y se movía, lenta, deliberadamente, volvía a encender el fuego dentro de ella, atizando las cenizas, avivando las llamas.

La tensión que acababa de aliviar volvió de repente a la vida, con el doble de fuerza que antes. Sus embestidas eran largas, lentas, poderosas, haciéndole perder la cabeza por completo.

No podía pensar, sólo podía sentir. Sentir la boca de Leo sobre la suya, su aliento en el cuello. Sus pechos apoyados sobre el duro torso masculino, sus fuertes brazos rodeándola. Se perdió en su exigente ritmo hasta que lo único que podía sentir era su posesión.

Lenta, devastadora.

Su boca era como un incendio sobre la sensible piel de su cuello, ardiente y eléctrica.

–No cierres los ojos –le ordenó Leo, su voz ronca y sensual vibrando sobre ella, en ella. Podía sentirla hasta en su feminidad, donde él se deslizaba una y otra vez, tan duro y ardiente–. Has estado lejos de mí durante tres años. Quédate conmigo ahora.

Bethany tuvo que hacer un esfuerzo para abrir los ojos; el rostro de Leo convirtiéndose en su mundo. El fuego se convertía en una conflagración y él seguía moviéndose deliberadamente, tan seguro de sí mismo y de lo que hacía, cada embestida casi más de lo que podía soportar.

Estaba matándola.

–Leo... –susurró con voz estrangulada, los ojos brillantes–. Por favor...

Como si hubiera estado esperando esa súplica, como si la hubiera planeado, Leo sonrió mientras empezaba a empujar con más fuerza.

–Ahora –murmuró, su voz tan oscura que la hizo temblar.

Pero eso no era suficiente.

Leo metió una mano entre los dos para buscar su centro con los dedos y luego, mientras se apoderaba de su boca en un beso carnal, los catapultó a los dos hacia el abismo.

Bethany abrió los ojos lentamente, su corazón aún palpitando como loco dentro de su pecho.

Leo levantó la mirada entonces y ella sintió que se ponía colorada, no sabía si de vergüenza o de algo más profundo que no podía explicar.

Abrió la boca para decir algo, pero ningún sonido salió de su garganta.

Leo seguía dentro de ella. Podía sentir el duro material de sus vaqueros rozando la sensible piel del interior de sus muslos. Podía sentir el duro torso aplastado contra sus pechos, su miembro dentro de ella, sus fuertes brazos alrededor.

Una parte de ella se asustó ante la evidencia de su pasión, pero otra parte, una que querría negar, se sentía más satisfecha que nunca.

«Si me besas, te haré mía», le había dicho.

Y había cumplido su promesa.

–Ha sido... –empezó a decir. Pero no pudo terminar la frase. Desde un beso que no había pensado darle a tener a Leo enterrado en ella. No sabía cómo entender lo que había pasado.

Era como un cataclismo. O tal vez, sencillamente era Leo.

–¿Sí? –murmuró él.

Había una sonrisa en sus ojos, aunque no en sus labios, y Bethany no podría decir por qué eso hizo que se le encogiera el corazón. Sólo sabía que le dolía.

Sabía que necesitaba pensar urgentemente en lo que había pasado de una manera crítica, lógica, pero eso no iba a ocurrir mientras siguieran juntos de esa forma, a la luz del día, donde cualquiera podría verlos.

Leo seguía mirándola y le gustaría cerrar los ojos, esconderse, ocultarse. Pero no podía hacerlo, de modo que se vio forzada a seguir mirándolo.

Sintió entonces que se movía dentro de ella y se dio cuenta, asombrada, de que estaba excitado de nuevo.

–Pero tú... –su voz sonaba demasiado aguda, como si fuera la de otra persona. Se sentía como si fuera otra persona. Tan ingenua y tan enamorada como lo había estado años atrás–. ¿Cómo puedes...?

Leo rió mientras acariciaba su espalda, intentando calmarla, tranquilizarla. Bethany tenía un vago recuerdo de que había hecho eso antes. Entonces le había parecido un gesto condescendiente, había creído que era una forma de controlarla.

Ojalá pudiera enfadarse como entonces, pero sólo podía sentir la impotente respuesta de su cuerpo ante esas caricias, como si lo deseara de una forma que su cerebro se negaba a aceptar. Quería apartar sus manos, pero estaba demasiado cautivada por su expresión.

–Eso sólo ha sido un aperitivo –dijo Leo–. Ha pasado mucho tiempo.

A Bethany le daba vueltas la cabeza. Y luego el mundo empezó a girar también cuando la dejó sobre la manta, colocándose entre sus muslos y mirándola a los ojos.

Nunca rompió la íntima conexión que había entre ellos y Bethany se dijo a sí misma que eso era lo que hacía que su corazón latiese como si quisiera salirse de su pecho.

–¿Desde que me fui quieres decir?

¿Por qué sentía el abrumador deseo de salir corriendo, de poner toda la distancia posible entre los dos? Pero Leo estaba en todas partes, dentro de ella, sobre ella, y no había escape posible.

La sonrisa desapareció de sus ojos, reemplazada por un brillo enigmático. Temblando, Bethany intentó moverse, pero eso sólo sirvió para que lo sintiera crecer dentro de ella, excitándola.

–Quiero decir que ha pasado mucho tiempo desde la última vez que hice el amor contigo... o con cualquier otra mujer porque tú has sido la última –dijo Leo, sin darle cuartel–. Yo me tomo mis promesas muy en serio, Bethany.

Su corazón latía salvajemente dentro de su pecho y pensó que iba a marearse. Y Leo simplemente esperó, cuando lo que ella quería era gritar que aquello no debería haber pasado, aunque eso no tuviera sentido.

Se sentía perdida, como una extraña.

–Leo... –sólo podía susurrar su nombre. No podía identificar las emociones que la sacudían como si fuera un bote diminuto en medio del océano–. Deberías saber que yo... nunca...

¿En quién se había convertido?, se preguntó, con una mezcla de pánico, vergüenza y algo más, algo que no entendía. No era capaz de terminar una sola frase.

Sintió que sus ojos se llenaban de lágrimas, pero no quería llorar.

«Ahora no, por favor».

Pero Leo seguía esperando, apoyado en un codo, su expresión indescifrable. Aunque ella podía sentir su poder como si la conectase con una tormenta eléctrica, como si él fuera esa tormenta contenida a duras penas por su férrea fuerza de voluntad.

–Pensé que, si te decía que tenía un amante, tú me odiarías –dijo Bethany por fin. Sabía que no habría marcha atrás después de esa admisión y sabía también que estaba en terreno peligroso, desconocido–. Y pensé que, si me odiabas, me dejarías ir.

Leo se acercó un poco más, tomando un rizo con los dedos para colocarlo detrás de su oreja, y Bethany estuvo casi segura de haber visto algo triste y resignado antes de que la besara en el cuello.

No la creía, pensó. No creía que estuviera diciendo la verdad.

–Nunca he tenido un amante –le confesó, desesperada–. Me lo inventé.

Leo levantó la cabeza entonces, con un brillo de satisfacción en los ojos mientras esbozaba una sonrisa que la hizo temblar de nuevo.

–Lo sé.

–Pero...

Bethany no sabía qué decir. ¿Lo sabía? ¿Lo había sabido desde el principio? ¿Cómo?

Pero Leo se limitó a reír, una risa de lobo, y Bethany no pudo evitar estremecerse.

Y luego empezó a moverse de nuevo.

Bethany no podría decir el momento en el que se

dejó ir, el momento en que dejó de agarrarse a la persona que había construido tras la ausencia de Leo y se permitió ser ella misma. Se dejó llevar por la devastadora realidad de su presencia, de su cuerpo, de sus sabias manos.

Leo le hacía el amor con intensidad, concentrado por completo en ella. La desnudó antes de desnudarse él mismo hasta que estaban desnudos bajo el sol y luego le dio con sus propios dedos aceitunas, queso y dulces uvas, bañándolo todo con vino y besos.

Luego volvió a amarla, haciendo que se rompiera una vez más hasta que apenas podía recordar quién había sido antes de que ese beso suyo lo hubiera desatado todo de nuevo... esa pasión, esa locura, ese deseo del que jamás podría librarse.

Cuando las sombras empezaron a extenderse sobre el lago, Leo la llevó de vuelta al castillo por el mismo camino que habían recorrido por la mañana. Bethany tenía la sensación de que habían pasado años y no horas desde entonces.

No sabía, pensó mientras Leo tomaba su mano, si sería capaz de reconocer a la mujer que había iniciado ese paseo si se la encontrase de frente.

Había estado tan decida a jugar a ese juego, tan segura de que cambiaría a Leo... jamás se le hubiera ocurrido soñar lo profundamente que iba a cambiarla a ella.

Pero apartó de sí ese pensamiento porque no tenía más remedio. Él era demasiado exigente, demasiado tentador y ella no podía evitar responder a sus caricias, a sus miradas. Y, si era sincera consigo misma, no quería parar.

En algún momento, cuando el encanto de los viñedos y los campos interminables hubiera desaparecido y Leo ya no estuviera a su lado, se preocuparía
de eso. Pero no aquel día, se dijo a sí misma, repi-
tiéndolo como una letanía.

Cuando regresaron al castillo, Bethany no se sorprendió en absoluto de que Leo fuese apartado de ella
por un ejército de criados y ayudantes, todos ellos an-
siosos de hablar con él.

Suspirando, subió a su habitación y llenó la bañera.

Sintiéndose como en un sueño, se quitó la ropa
que tan recientemente Leo le había vuelto a poner,
con las manos temblorosas al recordar cómo la había
acariciado, cómo había explorado cada curva, cada
secreto. Estaba temblando, pero no de frío.

Sabía que era por él, la fiebre de Leo di Marco seguía calentando su piel. Era la misma brujería que
siempre había ejercido sobre ella, convirtiéndola en
su esclava.

Debería sentirse horrorizada consigo misma por
lo que acababa de pasar. Lo sabía, podía verlo de manera objetiva, como a distancia.

Desnuda, echó sales en el agua de la bañera. Entendía que debería estar avergonzada de que no hubiera un centímetro de su cuerpo que Leo no hubiera
tocado, que no hubiera hecho suyo bajo el sol italiano. Cuando levantó los brazos para apartarse el
pelo de la cara sintió un ligero escozor en sus partes
más íntimas, pero era más excitante que doloroso y
la hizo experimentar una emoción que ya no podía
controlar o negar.

Que no *quería* controlar o negar.

Acababa de meterse en el agua, apoyando la cabeza en el borde de la bañera, cuando le pareció sentir una brisa en la piel. Y cuando abrió los ojos, no le sorprendió ver a Leo en la puerta, sus ojos oscurecidos.

Pensó que iba a decir algo, pero ninguno de los dos dijo nada durante unos segundos.

Bethany no podía hacer nada más que mirarlo, impotente, su cuerpo reaccionando de la misma manera que antes. Como si no hubiera pasado el día haciendo el amor con él una y otra vez, sin descanso, en una variedad de posturas. A su cuerpo no parecía importarle. A ella no parecía importarle.

Siempre había sido así. Sentía una sed insaciable por él, una pasión explosiva cada vez que la tocaba.

Recordaba esa vergonzante noche en Toronto, la noche que durante años había visto como el momento más bajo de su vida, y se dio cuenta de que había tenido que pensar eso no porque los dos estuvieran furiosos, sino porque había tenido que demonizar la conexión sexual entre ellos para averiguar quién sería sin ella. Porque cuando Leo estaba cerca perdía la capacidad de pensar en absoluto.

Debía haber sabido que demonizarla era la única forma de sobrevivir a su pérdida, a su ausencia.

Pero no quería preguntarse por qué. Seguía apartándose de una verdad que su cuerpo conocía, que siempre había sabido.

Aquel día no, se dijo. Sería demasiado. No podía hacerlo.

Leo dio un paso adelante y, sin dejar de mirarla,

se quitó la camiseta negra, tirándola al suelo. Bethany lo miró de arriba abajo... los duros pectorales, el estómago plano, la piel bronceada. Y dejó escapar un gemido cuando se quitó los vaqueros para quedar desnudo frente a ella.

Sólo podía admirar aquella perfección masculina, la gracia letal, la controlada fuerza. Quería tocarlo y besarlo.

–Hazme sitio –le ordenó Leo, en un tono que no admitía réplica.

Bethany sabía que debería objetar, sabía que debería poner ciertas reglas, ciertos límites. Sabía que debería exigirle su propio espacio, pero no dijo una palabra. Aquel día no, se repitió.

De modo que le hizo sitio para que entrase en la enorme bañera, que había sido instalada con ese propósito, y suspiró, contenta, cuando la envolvió en sus brazos.

No sabía qué era más caliente, el agua o el cuerpo de Leo, su erecto miembro rozándola, excitándola.

Cuando apoyó la cabeza sobre su hombro, en sus ojos vio un brillo que no podría definir pero que hizo que algo dentro de ella se moviera como una placa tectónica. El dolor de esos años se convirtió en otra cosa... pero antes de que pudiera ponerle nombre, Leo buscó sus labios.

Y volvió a desatar un incendio.

Aquel día no, se dijo a sí misma una vez más.

Y luego dejó de pensar.

Capítulo 11

LEO no podía entender las complicadas emociones que oprimían su corazón, inquietándolo, descentrándolo por completo.

Estaba en otra tediosa reunión en el ala oeste del castillo, que usaba como oficina cuando se encontraba en Felici, detrás del enorme escritorio de caoba que su padre había comprado para hacer juego con su ego y sabía que parecía un príncipe, como debería.

Lo habían educado para usar su grandeza como un arma y lo había hecho siempre sin pensar. No quería investigar por qué aquel día le parecía inadecuado. Como si ya no fuera una segunda piel, indistinguible de la suya propia.

Pero la reunión no debería ser tediosa. Una vez, la emoción de ganarle la partida a un rival o conseguir un trato a última hora le hubiera provocado tal descarga de adrenalina que habría estado despierto durante días.

Nunca se había metido en las aventuras que atraían a tantos de sus colegas porque no quería arriesgar el legado Di Marco. Por lo tanto, se contentaba con el drama de las altas finanzas o la mejor partida de póquer del mundo, con las apuestas más altas. Y siempre le había funcionado.

Sin embargo, aquel día todo eso parecía haber perdido su atractivo. Sabía que Bethany estaba en el castillo, no en Canadá. No al otro lado de mundo. Ni siquiera estaba enfadada con él, ya no. Estaba cerca y a su disposición.

Y eso era lo que lo tenía inquieto, no esos papeles, no esos debates ni esas estrategias que en aquel momento le parecían tan aburridas. Sabía que podría marcharse de la reunión, ir a buscarla... y la tendría. Sería tan fácil. Una mirada, un roce, su simple presencia en la habitación.

Podría, como había hecho el día anterior, sencillamente tumbarla sobre la alfombra y hacerle el amor antes de que ella hubiera tenido tiempo de saludarlo.

Y se excitaba sólo con pensar en ello.

Leo miró la montaña de documentos que había frente a él con gesto de desagrado. No era el sexo lo que lo afectaba de esa forma, aunque lo satisfacía profundamente que después de tres años aún fuera capaz de volver loca a Bethany, de volverlos locos a los dos.

No era eso. Era... el resto.

Había pasado una semana, luego varios días más y Bethany no había vuelto a mencionar el divorcio. No le había vuelto a preguntar por los tribunales como cuando llegó. Leo quería ver eso como una victoria, pero no podía hacerlo.

Compartían almuerzos y cenas y, sobre todo, compartían cama cada noche. Bethany compartía con él su maravilloso cuerpo, con una alegría y un entusiasmo que lo hacían sentir humilde y lo excitaban al mismo tiempo. Hablaba con él, se reía con él. No había pataletas, ni broncas, ni lágrimas, ni siquiera los intercambios de pullas que había esperado desde que volvió a verla en Toronto.

Era, en resumen, todo lo que siempre había imaginado que sería, como si los tumultuosos dieciocho meses de su matrimonio fueran un mal sueño del que los dos habían despertado por fin.

Debería ser maravilloso, *era* maravilloso y, sin embargo, no era suficiente.

Leo no podía librarse de una extraña inquietud, de la sensación de estar viviendo un tiempo prestado, de que había un reloj marcando las horas.

Era la mirada ausente que veía en sus ojos algunas veces, cuando Bethany creía que no estaba mirándola. La tristeza que a veces notaba en ella, aunque siempre sonreía cuando pronunciaba su nombre o fingía no saber de qué estaba hablando si le preguntaba.

Sabía que había una parte de sí misma que mantenía apartada de él y era por eso por lo que se sentía tan inquieto. No se cansaba de ella, del sonido de su respiración en el oscuro dormitorio, del aroma de sus rizos sobre su torso.

Era exactamente lo mismo que había sentido cuando se casó con ella. ¿Cómo podía haberlo olvidado? Aquello era lo que había pasado en Hawái, lo que los había llevado allí. La había mirado, la había tocado y era como si hubiese vuelto a nacer.

Con Bethany, se veía como un hombre como no lo era con nadie más. No era el príncipe Di Felici, no era el heredero de la fortuna Di Marco, era sencillamente un hombre. Un hombre que la deseaba, que quería que Bethany lo deseara a él como si nada más importase en el mundo.

Había odiado sentir eso mientras ella estaba en Canadá y recordaba lo raro que le había parecido cuando volvió a Italia. Por eso se había mostrado tan seco, tan retador.

No sabía actuar como el hombre que se había enamorado y había fingido ser el príncipe ofendido. Como si ese otro hombre, que había estado tan vivo, tan vulnerable en las suaves noches hawaianas, no hubiera existido nunca.

Peor, había intentado convertirla en la mujer con la que debería haberse casado, la autómata que Bethany nunca podría ser. Había intentado que fueran como los matrimonios que había visto durante toda su vida, matrimonios de conveniencia, arreglos familiares o sociales falsos y sin amor.

¿Por qué le había sorprendido que Bethany no pudiera lidiar con eso? ¿Qué había esperado?

La puerta de su oficina se abrió en ese momento y Leo levantó la mirada cuando entró una de sus secretarias para llevar unos papeles. Desde allí podía ver el antedespacho y, de repente, sintió una punzada de deseo al ver a Bethany hablando con uno de sus abogados. Leo miró su reloj y vio que era casi la una, la hora a la que habían quedado para comer.

Tenía un aspecto fresco, limpio, sus rizos sujetos en una coleta que caía sobre el pálido jersey de cachemir color melocotón. Los pantalones marrones se ajustaban a sus curvas como un abrazo y, de repente, Leo pensó que tal vez debería haber elegido un sitio más privado para el almuerzo que la excursión al pueblo que habían planeado.

Pero, de repente, ella se volvió hacia el despacho

y sus miradas se encontraron antes de que su secretaria cerrase la puerta de nuevo.

Y ese segundo había sido suficiente. Leo sentía la fuerza de su mirada como si la puerta siguiera abierta; una mirada torturada, amarga, desesperada.

Furiosa.

Y supo que acababa de ocurrir lo que tanto había temido.

Bethany lo sabía. El maldito abogado debía de habérselo contado. Él sabía qué podía haber hecho que lo mirase con tal expresión de reproche.

Se había arriesgado demasiado, pensó, y a juzgar por esa expresión, Leo di Marco había perdido la partida. Había perdido y no podía tolerarlo.

No lo haría.

—Perdonen, señores —se disculpó, interrumpiendo al asesor que hablaba en ese momento—. Tengo que salir de la reunión.

Y luego, con una sensación que se negaba a llamar pánico, fue tras ella.

Era un mentiroso.

Seguía siendo un mentiroso.

Bethany no podía respirar mientras corría por el histórico pasillo, que parecía encogerse más y más. Opresivo, no hermoso. Oscuro, no alegre. Una prisión, no un castillo. Otra vez.

¿Cómo podía haber olvidado lo despiadado que era Leo?

¿Cómo podía haber caído en sus brazos de nuevo?

Era como si la tocara y, de inmediato, ella contrajera algún tipo de amnesia.

Leo le había mentido.

Cuando por fin llegó a su suite, se llevó una mano al corazón, intentando respirar. Era una tonta, una ingenua. No era su juventud o su inexperiencia esta vez. Era él.

Era Leo, que nunca había querido dejarla ir. Que la había convencido para que fuese a Italia sencillamente porque estaba cansado de esperar su regreso. La quería allí... por razones que no podía entender. Era el príncipe Di Felici y hacía lo que le daba la gana, sus deseos eran órdenes para todo el mundo.

¿Qué otra explicación podía haber? El abogado le había contado la verdad sobre los procesos de divorcio en Italia: los dos esposos debían acudir al tribunal y declarar su deseo de separarse. Y sólo después de tres años de separación legal podría considerarse el divorcio.

—Pero yo le expliqué todo eso al príncipe —le había dicho el hombre, con cara de disculpa.

Y eso sólo podía significar una cosa: Leo la había engañado para llevarla a Italia. Él conocía las leyes de su país. Había querido usar el sexo contra ella, dándole una falsa sensación de seguridad.

Bethany dejó escapar un sollozo de angustia.

Pero ella no era su marioneta. No era una muñeca con la que Leo pudiera jugar a su antojo. Ella había decidido besarlo en el lago, lo había hecho porque quiso, en posesión de sus facultades mentales. Se había abandonado totalmente, como la habían abandonado todos los que la querían, primero su madre cuando era una niña, luego su padre, enfermo durante años, y más tarde Leo. Pero sobre todo se había abandonado a sí misma y nunca se lo perdonaría.

Se había traicionado una vez más... tal vez porque no sabía cuidar de sí misma como debiera hacerlo una adulta. Pero ya no era una cría y conocía a Leo. Después de todo, él era lo que era y no podía evitarlo. Y ella no se había hecho ilusiones.

¿Entonces por qué la asombraba tanto lo que había pasado? ¿Por qué le dolía tanto que no podía respirar siquiera?

Daba igual de quién fuera la culpa, se dijo a sí misma. Lo que acababa de descubrir dejaba claro algo que siempre había sabido: que no podía quedarse allí.

Nunca debería haber vuelto a Italia. Sabía que no debería y, sin embargo, allí estaba.

Pero sabía por qué.

Era como una enfermedad...

Una ola de desesperación la envolvió hasta casi hacerla caer al suelo. Bethany se acercó a la cama y se apoyó en una de las columnas del dosel, sin tocar las sábanas sobre las que había dormido con Leo, sobre las que él la había llevado al cielo con sus manos, con su lengua...

Y todo era parte de una mentira, pensó, desolada. La mentira que debería haber imaginado le contaría alguien como él porque era quien era. ¿Por qué le dolía tanto ver confirmadas sus sospechas?

Pero lo sabía: lo amaba. A pesar de todo, estaba enamorada de Leo.

Bethany se pasó las manos por la cara, pero eso

no disipaba la incómoda verdad. Seguía amándolo. Era por eso por lo que se había quedado en su casa de Toronto, por lo que la había convencido para que volviese a Italia. Era esa maldita esperanza que no había desaparecido del todo. No quería amarlo, pero lo amaba. Siempre había sido así.

Lo había amado desde el primer día, mojado y burlón en la playa de Waikiki, y nada había alterado ese amor. Lo había adorado, lo había odiado, temido, culpado... pero seguía amándolo.

Esos últimos días habían sido una fantasía de lo que podría haber sido su vida. Leo había sido el hombre al que recordaba de Hawái, el hombre por el que había dejado atrás todo lo que conocía para seguirlo hasta el otro lado del mundo. Pero incluso ahora, sabiendo lo que sabía, seguía amándolo.

No había nadie más para ella. No reharía su vida, no seguiría adelante. Sólo existía Leo.

Le había roto el corazón tantas veces que había dejado de esperar otra cosa y, sin embargo, lo amaba. Incluso ahora, cuando se preguntaba cómo iba a sobrevivir sin él. Incluso ahora, cuando no estaba segura de querer sobrevivir sin él.

Lo amaba, pero Leo había jugado con ella. Seguía siendo el señor del castillo, el presuntuoso príncipe. Seguía siendo un manipulador, mentiroso y cruel. Había dejado de cuestionarse por qué amaba a un hombre así, que a veces parecía ser tan noble, tan bueno. Pero no lo era.

Y en cualquier caso, daba igual. Lo amaba. Pero eso no significaba que tuviera que vivir con él y dejar que la moviese de un lado a otro como una pieza de ajedrez. Sabía que podría soportarlo casi todo salvo eso.

Su corazón estaba tan roto que no habría manera de arreglarlo.

Bethany se apartó de la cama y abrió la puerta del vestidor para sacar su maleta. No tardaría mucho en hacer el equipaje. Después de todo, apenas había llevado nada porque pensaba estar sólo unos días y se marcharía como había jurado hacerlo: igual que había llegado. Sólo con sus cosas.

Se recuperaría, se dijo a sí misma, repitiendo la frase una y otra vez. Tenía que recuperarse, tenía que sobrevivir. Lo peor ya había ocurrido tres años antes. Ya había vivido sin él, ya había aceptado que Leo no podía amarla como lo amaba ella.

Podía hacerlo otra vez, lo haría. Y si esta vez le dolía más porque había esperado estar armada para enfrentarse con él, tenía años por delante para explorar esa decepción.

–¿Qué demonios estás haciendo?

La voz de Leo llegó desde la puerta, pero Bethany no levantó la mirada.

–Creo que lo sabes –respondió, sin dejar de guardar sus cosas en la maleta.

Tenía que marcharse de allí inmediatamente, antes de que Leo pudiera contarle más mentiras a las que ella querría agarrarse con una ridícula desesperación. Antes de que se traicionase a sí misma de nuevo.

–Te marchas –dijo él, como si no pudiera creerlo, como si no diera crédito a sus ojos. Como si ella fuera la mala de esa película–. ¿Te marchas otra vez?

Bethany se volvió entonces, sorprendida al ver un brillo de dolor en sus ojos oscuros.

–¿Lo sabías? –le espetó, furiosa, negándose a dejarle ver el dolor que le estaba causando y mucho menos ese terrible, aciago amor que la hacía actuar como una idiota–. ¿Sabías que deberíamos registrar nuestra separación y luego esperar durante tres años?

–Bethany...

–Me has hecho venir aquí, haciéndome creer que sólo tendría que firmar unos documentos, que todo estaba solucionado. ¿Me has manipulado de esa forma vergonzosa, Leo?

Él apretó los labios, pero no dijo nada.

Y Bethany no sabía cuánto había esperado una explicación hasta que él no le ofreció ninguna.

–Muy bien –dijo por fin–. No hay nada más que decir.

–¿Te he traído aquí contra tu voluntad, Bethany?

–Te dije que no quería venir a Italia, pero tú me contaste que debía hacerlo, que todo estaría solucionado en unas semanas cuando sabías que no era verdad...

–¿Te he secuestrado, te he obligado a venir a punta de pistola como el salvaje que quieres creer que soy? ¿Te he tocado siquiera antes de que lo hicieras tú?

–Me has engañado.

–Eres mi mujer –dijo Leo.

–¿Y qué significa eso? No tienes ningún derecho a tratarme como si fuera un objeto que puedes mover a tu antojo. Soy una persona, Leo, tengo sentimientos. Y estoy cansada de que tú los pisotees cuando te apetece...

–¿Tienes sentimientos? –la interrumpió él, furioso–. ¿Te atreves a decir eso con la maleta en la mano, con un pie en la puerta? ¿Tú hablas de sentimientos?

–No quiero que me construyas un lago el día que por fin cumpla con mis obligaciones –le espetó ella, intentando contener las lágrimas. Pero no pudo hacerlo, las lágrimas rodaban por su rostro... y podía ver su expresión, como si lo hubiera golpeado–. No quiero el matrimonio de tus padres, no voy a hacerlo, Leo.

–¡Te quiero! –gritó él entonces.

Bethany no sabía qué era más asombroso, esa frase o el tono en el que había sido pronunciada.

¿Leo gritando? ¿Leo pálido como un cadáver, con los ojos fuera de las órbitas? ¿La quería? No había mencionado la palabra amor desde esos días, cinco años atrás. No tenía sentido, no iba a creerlo.

Aunque una traicionera parte de ella aún albergase esperanzas.

–Te quiero –repitió él, esta vez en voz baja pero con el mismo poder que la anterior versión. La frase parecía rebotar contra ella como una bala, haciendo el mismo daño.

Cuando Leo entró en el vestidor, Bethany vio que no era el príncipe que conocía. El hombre que estaba delante de ella parecía sin aliento y ligeramente despeinado, como si hubiera ido corriendo tras ella. Lo cual era imposible.

Como si, por fin, le estuviera diciendo la verdad, le dijo una vocecita. Y su corazón empezó a latir dolorosamente contra sus costillas.

–Tú... –pero no podía repetir lo que había dicho. Le dolía demasiado. Le hacía anhelar cosas que no iban a ocurrir–. Si me quisieras, no intentarías manipularme. Imagino que lo sabes.

–Deja que te cuente lo que yo sé del amor –dijo él con voz ronca, una voz que Bethany no reconocía y que parecía tocar directamente su corazón–. Nada. No sé absolutamente nada del amor. Nadie se ha molestado en enseñarme algo que, supuestamente, no debería haber experimentado nunca.

Ella quería acercarse, abrazarlo, consolarlo por lo que le habían hecho, pero no podía hacerlo. Le dolía el corazón por él, por los dos, pero no podía moverse.

–Tus padres te trataron de una forma abominable –consiguió decir–. Pero eso no te da derecho a tratarme a mí de la misma forma. No puedes creer que eso está bien. Si hubieras pensado que hacías bien, no me lo habrías escondido.

–Nunca se me ocurrió hacer algo que no fuera mi deber –siguió él, con ese tono ronco desconocido–. Y entonces apareciste tú. No eras la mujer que todo el mundo esperaba que eligiese como esposa. Eras demasiado joven, cálida, viva y esperabas lo mismo de mí. Me veías como a un hombre, nada más. Y yo te amaba cuando nunca había sabido que pudiese amar.

–Y mira lo que hemos hecho con ese amor –dijo Bethany, su voz tan ronca que no la reconocía–. Mira en qué nos hemos convertido.

–Bethany –murmuró él entonces con tono de súplica, aquel hombre que no sabía suplicar, aquel hombre que sólo sabía dar órdenes.

La realidad era que le había mentido, pero también ella se había mentido a sí misma. No podía controlarse con aquel hombre, nunca había podido hacerlo. ¿Cuántas veces tenía que fracasar con él para reconocerlo de una vez?

Tres años antes mostraba su frustración llorando y lanzando cosas, intentado desesperadamente llegar hasta su corazón. Esta vez, sencillamente se había disuelto en él como si no tuviera existencia propia, como si su regreso al castillo borrase todo lo que había pasado antes.

Lo amaba, pero no era bueno para ella. Y ella nunca se convertiría en la persona con la que Leo debería haberse casado. ¿No lo habían descubierto mucho tiempo atrás? ¿Por qué seguían ahí, discutiendo sobre lo mismo?

–No quiero un lago –repitió, sin saber por qué no podía olvidar ese detalle.

No podía dejar de pensar en el prado de hierba verde donde se había sentido tan encantada que había perdido la cabeza y había vuelto a rendirse. Era el cebo, la muestra de todo lo que él podía ofrecerle, pero no tenía por qué aceptar esa jaula.

¿Quién sería si se quedaba allí? ¿La madre de Leo, cuyo nombre no era mencionado, como si no hubiera existido nunca? ¿Una mujer que había recibido un lago como regalo pero que nunca había tenido el respeto de su marido? ¿Ni su amor?

El hijo de esa mujer hablaba del amor como si fuera una noción extraña, totalmente ajena a él. ¿Cómo podía vivir con eso?

–No quiero repetir el matrimonio de tus padres –le dijo–. No estoy dispuesta a aceptar la infelicidad.

–¿Por qué estás tan segura de que no seríamos felices? –le preguntó Leo–. ¿Has sido infeliz desde que llegaste aquí?

–Es como ese lago...

–Lo cubriré de cemento si eso es lo que quieres –la interrumpió él.

–Da igual lo felices que fuéramos o creyéramos ser porque siempre habría algo podrido por debajo. Siempre hay otro juego, otra mentira. No podemos hacerlo, Leo. Han pasado cinco largos años y hemos demostrado muchas veces que no podemos hacerlo.

Era como si el dolor fuera otra entidad, un vasto mar, una agonía tan profunda que parecía llenar la habitación, desde la expresión de Leo a la sal de sus propias lágrimas, que no podía controlar.

–¿Entonces qué es lo que quieres?

No iba a confundir esa pregunta con otra escaramuza en su larga batalla. Era una pregunta hecha en serio. La miraba como si pudiera ver dentro de ella, como si supiera las cosas que escondía. Como si quisiera verlo todo.

Bethany pensó por un momento que podía hacerlo, que podía decir que lo amaba, que podía arriesgarse a ser completamente vulnerable, sincera, abierta. Que podía arriesgarlo todo.

Pero tantos años de soledad... las veces que le había dicho que lo amaba y él se había limitado a sonreír, usando su desesperación para que hiciera lo que él quería, siempre que quería. Todas esas noches dando vueltas y vueltas en la cama, sola y torturada por ese amor que habría arrancado de su corazón con sus propias manos si pudiese hacerlo.

¿Cómo podía confiarle su corazón a aquel hombre cuando no podía confiárselo a ella misma? ¿Cómo podía admitir esa debilidad cuando estaba temblando?

Nada bueno podía salir de aquello, se dijo a sí misma, mirándolo, las lágrimas haciendo que sus ojos castaños se convirtieran en un borrón.

–Dime lo que quieres –repitió Leo–. Dímelo y lo tendrás.

Bethany quería decir tantas cosas, pero estaba agotada, dolida por tantos fracasos. Había entregado demasiado y temía no tener nada más que ofrecerle. En ese momento, quería una semblanza de paz más que cualquier otra cosa, incluso más que a él.

–Quiero el divorcio –susurró.

Y, de inmediato, vio que sus ojos se volvía fríos, su boca tensa, su rostro pálido.

Pero era mejor romper lo que quedaba de su corazón de golpe que entregárselo a él y ver cómo lo rompía de nuevo una y otra vez hasta que no quedase nada, ni siquiera ese hilo de esperanza que la había mantenido con vida durante esos años.

Se dijo a sí misma que era lo mejor.

Capítulo 12

LEO se encontró en la habitación, sintiendo que todo daba vueltas, los latidos de su corazón ensordeciéndolo. No parecía capaz de llevar suficiente oxígeno a sus pulmones.

No podía creer la finalidad en la voz de Bethany, en su rostro. No podía creer que después de todo lo que había pasado, de todo lo que sentían el uno por el otro, siguiera queriendo divorciarse de él. No podía aceptar que quisiera dejarlo. Todo en él se rebelaba contra eso.

Le había dicho que la amaba, pero Bethany no se había conmovido en absoluto cuando esas mismas palabras la habían emocionado una vez por completo, haciéndola sonreír y brillar por dentro. Y no sabía dónde poner esa triste realidad, cómo evitar que lo rompiese por dentro.

«Si me quisieras, no intentarías manipularme», le había dicho. Esas palabras seguían repitiéndose en su cerebro como una incómoda verdad.

«Mira en qué nos hemos convertido».

Leo apretó los puños.

Ella no quería el lago y él no quería ser un hombre como su padre, que construía un monumento a algo que nunca había sentido. No quería que se sintiera atrapada y miserable, infeliz. No quería que esa mujer que le rompía el corazón y lo emocionaba, a veces con la misma sonrisa, se convirtiera en su madre y tampoco que se convirtiera en la clase de mujer con la que supuestamente debería haberse casado. No quería la vida de sus padres. ¿Era eso lo que deseaba para sus hijos?

No, no lo era.

Y también sabía, aunque desearía no saberlo, que era su orgullo lo que había hecho que quisiera retenerla. Su maldito orgullo, sin pensar en los deseos de Bethany.

Podía no creer que ella quisiera decirle adiós para siempre, pero lo creía por orgullo, por soberbia.

Había vivido su vida al servicio de su orgullo durante demasiado tiempo, pensó entonces. Porque una vez que lo dejaba a un lado, lo único que podía ver era el rostro de Bethany, pálido y cubierto de lágrimas.

¿La amaba tan poco que quería mantenerla allí, su prisionera, cuando evidentemente ella quería marcharse? ¿La quería a su lado más de lo que quería verla feliz?

Se detestó a sí mismo por lo que tardó en responder a esa pregunta, por lo agónico que le resultó llegar a la única conclusión posible.

Él era esa clase de hombre, pensó amargamente, la clase de hombre que ella lo había acusado de ser. Eso era para ella y siempre lo había sido, un ser autocrático, manipulador. Pero él había inventado excusas porque se decía a sí mismo que era su obligación, su deber, cuando en realidad sencillamente la quería a su lado.

Ahora y para siempre.

La había visto en esa playa de Waikiki y no había vuelto a mirar a otra mujer. No había deseado a nadie más. Sólo a Bethany. Sencillamente, la quería a su lado porque sin ella temía desparecer para siempre bajo el peso de su historia, del legado de su familia.

Leo suspiró, aceptando por fin la verdad contra la que tanto había luchado.

Ella era la única persona que lo había visto simplemente como un hombre, pero no podía ser feliz estando con él. Eso había quedado bien claro y no quería hacerle daño.

Tenía que dejarla ir. No sabía cómo iba a hacerlo cuando todo en él le urgía a impedirlo de cualquier forma, pero sabía que no tenía alternativa.

Bethany no sabía que se había sentado en el suelo del vestidor hasta que levantó la mirada y vio a Leo a su lado, mirándola con una expresión indescifrable.

Le había dicho que quería el divorcio, él había salido del vestidor y... todo había terminado.

Sabía por instinto, un instinto primitivo que parecía nacer de ella, que cualquier esperanza había muerto para siempre. Todo se había roto entre ellos por fin y era libre. Libre para irse, libre para vivir.

Y, sin embargo, sentía como si estuviera muriendo.

–¿Te has caído? –le preguntó él, con una voz que sonaba como la de un extraño.

O tal vez se había convertido en un extraño, tal

vez al romperse ese fino hilo de esperanza que era lo único que los unía, ya no conocía a Leo.

Bethany intentó pasarse la lengua por los labios, hablar, decir algo, pero no le salía una palabra.

–¿Te encuentras bien?

Ella tuvo que parpadear y sólo entonces se dio cuenta de que las lágrimas seguían rodando por su rostro.

–Quiero irme –consiguió decir, con un sollozo en la garganta–. Quiero ser libre... de todo esto.

Pensaba que no podía dolerle más, que no era físicamente posible.

–Te he dicho que te quiero y lo digo de corazón, Bethany –Leo hablaba en voz baja, con los ojos nublados–. Y te amo lo suficiente para dejarte ir si eso es lo que quieres.

Parecía... vencido. Aquel hombre poderoso e indestructible parecía vencido y eso hizo que Bethany se rompiera como un cristal. Le gustaría rebobinar, borrar lo que había pasado, hacer lo que tuviera que hacer para convertirlo en Leo otra vez. Su Leo.

–Si es lo que quieres, lo haré –siguió él.

La frase quedó colgada en el aire como una promesa y Bethany lo creyó. La dejaría ir. Unos minutos antes había sabido que eso era lo que quería. Le rompía el corazón, pero era lo que quería y por fin Leo aceptaba esa realidad. Y esta vez sabía que no estaba jugando.

Esta vez lo decía en serio y eso significaba que podía levantarse y marcharse de allí con la cabeza bien alta, el corazón roto quizá pero libre, como había deseado durante tanto tiempo.

Lo único que tenía que hacer era levantarse y empezar el resto de su vida.

«¡Levántate!», se ordenó a sí misma.

Pero no era capaz de hacerlo.

–No sé cómo dejarte ir –dijo Leo, su voz ronca de pena y de dolor–. Pero lo haré, Bethany, te lo prometo.

Esa promesa pareció reverberar en su corazón, haciendo que se quedara pegada al suelo, pesada como una roca, cuando sabía que debería sentirse más ligera, que debería volar.

¿Era así como todo iba a terminar entre ellos?

No podía apartar los ojos de su cara y ni siquiera sabía si estaba respirando. El tiempo parecía haberse detenido y lo único que sentía era un profundo dolor en el corazón que parecía reflejarse en la mirada de Leo.

Ya no había ninguna esperanza de retomar la relación y Bethany supo con una extraña certeza que ella tenía tan poco sentido sin Leo como Leo sin la larga historia de su familia.

Él era su historia. Estaban unidos para siempre y no sabía cómo existir sin él. Sería como existir sin aire.

–No soy capaz de dejarte –dijo por fin–. Llevo años intentando hacerlo y esta vez... ni siquiera me responden las piernas.

–Yo te llevaré donde quieras ir –murmuró él.

Y Bethany se dio cuenta de que lo decía en serio. Aquel hombre tan difícil, tan orgulloso, se ponía a su disposición aunque no quisiera dejarla ir.

Lo haría porque era honrado, aunque ella hubiera querido creer lo contrario. No era su padre, no era un monstruo. Estaba, tal vez, tan desconcertado y confundido como ella.

Pero no sabía qué podían hacer, no había nada que pudieran hacer y un sollozo escapó de su garganta.

–Ven –murmuró Leo, acercándose.

Bethany seguía llorando como si no pudiese parar, como si no fuera a parar nunca, como si sólo pudiera entender los últimos cinco años a través de esas lágrimas.

–Bethany... –musitó él, tomándola en brazos y besando su cara–. Por favor, *luce mia*, no llores así. Te lo suplico.

Pero Bethany no podía parar. Ni cuando empezó a hablarle en italiano ni cuando la llevó frente a la ventana de la habitación y la sentó sobre sus rodillas, murmurando palabras cariñosas en su oído. Lloraba y lloraba y no era capaz de parar como no había podido levantarse del suelo.

–Esto es culpa mía –dijo Leo unos minutos después, cuando Bethany empezó a calmarse un poco.

Ella echó la cabeza hacia atrás para mirarlo a los ojos. Estaba apretada contra su pecho, pero no le preocupaba sentirse como una niña. Los rítmicos latidos de su corazón, la fuerza de sus brazos... todo eso era tan consolador.

–Si alguien tiene la culpa, me temo que es de los dos –le dijo con voz ronca, los ojos enrojecidos.

–Supuestamente, yo soy el príncipe perfecto –insistió él, irónico–. Me he pasado la vida practicando para poder hacer el papel, pero la verdad es que no soy un gran hombre.

–Te quiero –dijo Bethany entonces.

El miedo había desaparecido y sólo quedaba la verdad, brillando dentro de ella como un faro. Lo amaba, ¿qué más importaba?

–Eso no significa que no sea complicado, que no sea doloroso. Pero siempre te he querido.

–Lo sé –Leo esbozó una sonrisa, aunque sus ojos estaban cargados de emoción–. Pero pensé que eso ya no te importaba.

–Pues claro que me importa.

Él trazó la línea de sus labios con un dedo y Bethany tembló, como le ocurría cada vez que la tocaba.

Cuando apartó el dedo, lo miró durante largo rato sin decir nada, como si pudiera encontrar la respuesta a sus problemas tatuada en su rostro. No sabía lo que sentía, lo único que sabía era que no daría el paso que lo separaría de él. No podía hacerlo.

Y cada segundo que no lo hacía, cada segundo que lo dejaba abrazarla, respirando su aroma, esa obstinada esperanza nacía de nuevo, más fuerte, más poderosa. Sería más difícil romperla la próxima vez.

Tal vez, le dijo una vocecita, no debería romperla.

Había querido que Leo lo fuese todo para ella cuando él sólo quería la oportunidad de ser un hombre. Había querido que cuidase de ella, sentirse segura... pero no había nada seguro en amar así, de una manera tan profunda que la alteraba por completo, cambiándola, convirtiéndola en alguien a quien no reconocía.

Lo había temido durante tanto tiempo. Había luchado contra ello, contra él, desesperada para no desaparecer. Porque eso era lo que temía que pasara si sucumbía al poder de ese sentimiento. Leo era mucho más de lo que había soñado nunca y había pensado que se la tragaría.

¿Pero y si no pasaba eso?

Aquel día había visto a un Leo diferente. Tal vez siempre había sido así y ella no había querido verlo, pero aquel día se había dado cuenta de que podía hacerle tanto daño como él a ella.

Y cuando lo miró de nuevo volvió a sentir que algo se movía, esa falla tectónica sobre la que parecían estar sentados, como si la tierra estuviera reajustándose debajo de ellos.

Si Leo no tenía todo el poder, eso significaba que sólo desaparecería si ella dejaba que así fuera. ¿Pero y si no?

¿Entonces qué?

Ella no era una marioneta, pensó, sino una compañera. Su compañera.

–Si me vas a dejar... –empezó a decir Leo en voz baja, mirándola a los ojos como si estuviera dentro de ella, como si pudiera leer sus pensamientos– debes hacerlo ahora, Bethany. Soy un hombre y no uno particularmente decente. Me temo que mis buenas intenciones podrían irse por la ventana.

Ella sintió un pellizco en el corazón, ese hilo de esperanza dando vueltas y vueltas a su alrededor, atándola a él como siempre. Entendía como no lo había entendido antes, que podía elegir.

Podía elegir entre esperanza y miedo. Uno la ayudaría a volver mientras el otro era una trampa. Había pasado tres años con miedo, sola en aquella casa de Toronto. Ya había soportado todas las noches solitarias que quería soportar.

¿De verdad iba a pasar el resto de su vida de esa forma, amando a ese hombre pero alejada de él porque la asustaban demasiado sus sentimientos?

¿Qué clase de vida era ésa?

Bethany se irguió un poco, mirando sus puños cerrados. Los había mantenido cerrados mientras lloraba porque contenían un secreto.

–¿Y si decido quedarme? –le preguntó, su voz apenas un suspiro, aunque vio que cada palabra era para él como una descarga eléctrica. En los ojos oscuros había un brillo de esperanza que reconoció, que sintió en su corazón.

Y luego, lentamente, abrió las manos para que Leo pudiera ver lo que había dentro, lo que había sacado del bolso mientras lloraba, como un ancla, como algo a lo que agarrarse.

En una mano tenía una sencilla banda de platino, en la otra un anillo de zafiros.

–Pensé que te habías librado de ellos –dijo Leo, tomando el anillo de zafiros y mirándolo como si lo viera por primera vez. Como si no lo hubiera elegido él mismo en la joyería Cartier de Waikiki. Como si él mismo no se lo hubiera puesto en el dedo mientras ella derramaba lágrimas de felicidad.

–No quería ponérmelos –dijo Bethany–, pero tampoco podía desprenderme de ellos.

Era una verdad más que había querido ignorar.

Una pista más sobre un amor que había querido olvidar porque pensaba que le hacía daño, pero que nunca había podido dejar del todo.

Sus ojos se encontraron y Bethany sintió exactamente lo mismo que había sentido cuando se casaron en esa playa privada en Hawái cinco años antes: feliz, completa.

Se habían desnudado del todo y allí estaban. Podía elegir el miedo o podía elegir la esperanza.

Podía elegir y la verdad era que su corazón había elegido mucho tiempo atrás.

Aunque ella no hubiera querido reconocerlo.

—Permíteme... —murmuró Leo.

Y entonces, como había hecho cinco años antes, puso los anillos en su dedo, donde debían estar. Y después, entrelazó los dedos con los suyos y se llevó su mano a los labios.

—¿Empezamos otra vez? —susurró, sus ojos castaños serenos y claros pero tan vivos, tan llenos de esperanza, con un amor en el que Bethany, por fin, se atrevía a creer.

Una pregunta tan sencilla para una tarea tan complicada. ¿Pero qué otra cosa podían hacer? No parecían capaces de vivir separados. Tal vez había llegado el momento de ver lo que podían construir juntos.

—No parece que seamos capaces de romper —le dijo, con el corazón lleno de amor. Por fin admitía que así era, que siempre lo había sido.

—Entonces deberíamos intentarlo otra vez —sugirió Leo—. Una y otra vez.

—Hasta que lo hagamos bien —dijo ella.

Leo se inclinó hacia delante y puso los labios sobre los de Bethany, encendiendo el gran fuego que siempre había ardido entre ellos.

Sellando la promesa que habían hecho tantos años atrás, sellando su destino.

Liberándolos a los dos.